O MUNDO PERDIDO

ARTHUR CONAN DOYLE

Esta é uma publicação Principis, selo exclusivo da Ciranda Cultural
© 2019 Ciranda Cultural Editora e Distribuidora Ltda.

Traduzido do original em inglês
O Mundo perdido - *The Lost World*

Texto
Arthur Conan Doyle

Tradução
Silvio Antunha

Revisão
Sebastian Ribeiro

Produção e projeto gráfico
Ciranda Cultural

Imagens
Black creator/Shutterstock.com
shaineast/Shutterstock.com
pinktea/Shutterstock.com
andreiuc88/Shutterstock.com
SaveJungle/Shutterstock.com
Sokol Artstudio/Shutterstock.com
Vintage Vectors Studio/Shutterstock.com

Dados Internacionais de Catalogação na Publicação (CIP) de acordo com ISBD

D754m   Doyle, Arthur Conan, 1859-1930

O mundo perdido / Arthur Conan Doyle ; traduzido por Silvio Antunha. - Jandira, SP : Ciranda Cultural, 2019
240 p. ; 16cm x 23cm. – (Clássicos da Literatura mundial)

Tradução de: The lost world
Inclui índice.
ISBN: 978-85-943-1872-5

1. Literatura inglesa. 2. Ficção. I. Antunha, Silvio. II. Título. III. Série.

2019-1142   CDD 823.91
                 CDU 821.111-3

Elaborado por Odilio Hilario Moreira Junior - CRB-8/9949

Índice para catálogo sistemático:
1.! Literatura inglesa : Ficção 823.91
2.! Literatura inglesa : Ficção 821.111-3

1ª Edição
www.cirandacultural.com.br
Todos os direitos reservados.
Nenhuma parte desta publicação pode ser reproduzida, arquivada em sistema de busca ou transmitida por qualquer meio, seja ele eletrônico, fotocópia, gravação ou outros, sem prévia autorização do detentor dos direitos, e não pode circular encadernada ou encapada de maneira distinta daquela em que foi publicada, ou sem que as mesmas condições sejam impostas aos compradores subsequentes.

SUMÁRIO

Oportunidades de atos heroicos ocorrem o tempo todo.............. 07

Tente a sorte com o professor Challenger 14

Uma pessoa perfeitamente impossível 22

É simplesmente a coisa mais importante de que já ouvi falar......... 31

Questão de ordem!... 48

Eu era o flagelo de Deus 62

Amanhã nós desapareceremos no desconhecido........................ 73

Nas fronteiras do Mundo Perdido 83

Quem poderia prever algo assim?................................... 97

Coisas maravilhosas aconteceram 121

Pela primeira vez eu era o herói 136

Foi assustador na floresta.. 153

Uma cena que eu jamais esquecerei................................. 169

Essas foram as verdadeiras conquistas 185

Os nossos olhos viram grandes maravilhas 201

Desfile! Desfile!... 219

Eu terei realizado o meu plano simples

Se der uma hora de alegria

Para o menino que é meio homem,

Ou para o homem que é meio menino.

Arthur Conan Doyle

PREFÁCIO

O senhor E. D. Malone deseja declarar que tanto a liminar de restrição quanto a ação de difamação foram retiradas sem reservas pelo professor G. E. Challenger, que, estando convencido de que nenhuma crítica ou comentário neste livro foi feito com cunho ofensivo, garantiu que não se opõe à sua publicação e circulação.

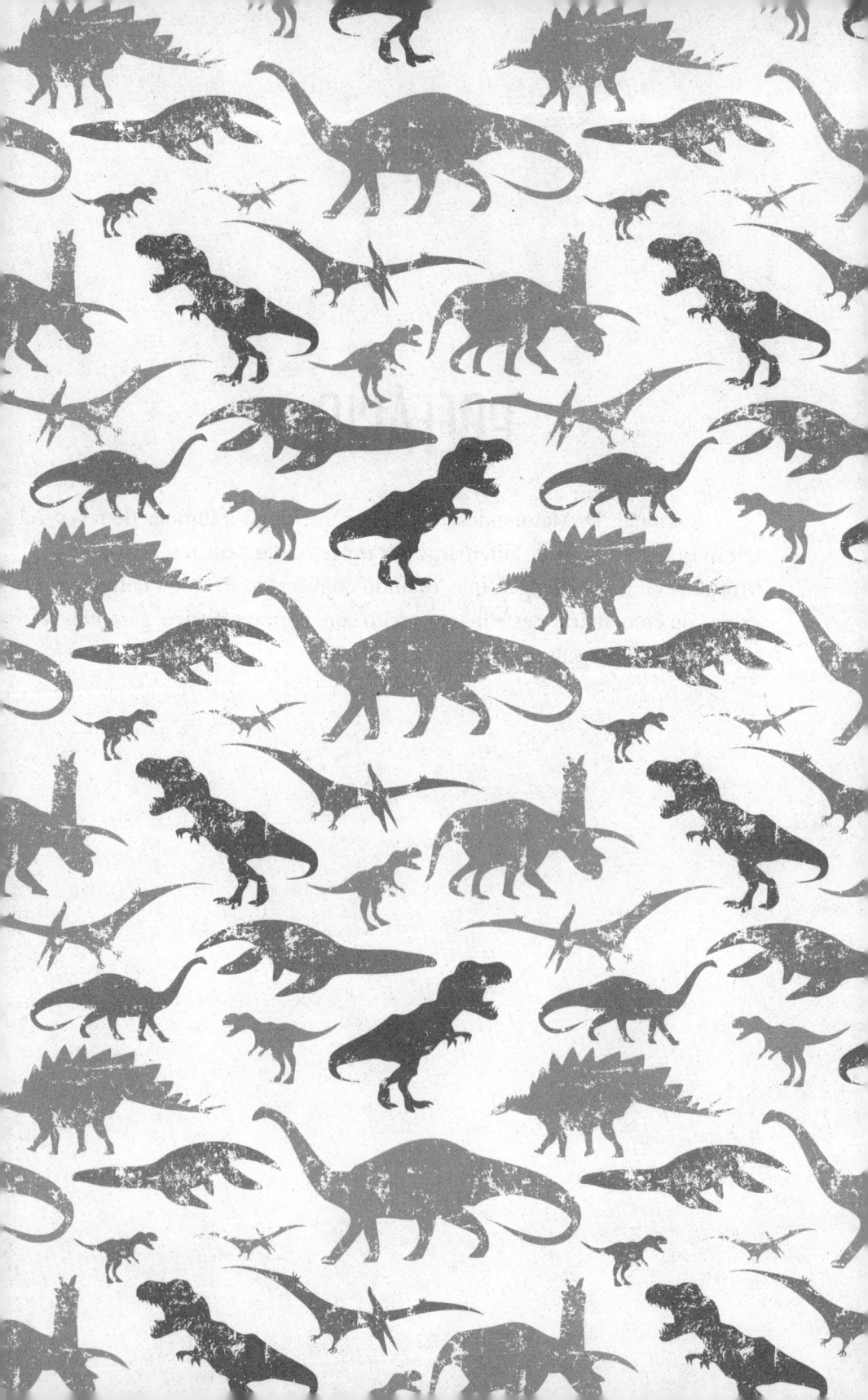

Oportunidades de atos heroicos ocorrem o tempo todo

O senhor Hungerton, pai dela, na verdade era a pessoa mais sem tato da face da terra. O sujeito lembrava uma cacatua, emplumado, desgrenhado, bem-humorado, mas absolutamente centrado em suas bobices. Se alguma coisa pudesse me afastar da Gladys, seria a ideia de ter um sogro desses. Estou convencido de que ele realmente acreditava que eu me dava ao trabalho de ir a Chestnuts três vezes por semana pelo prazer de sua companhia e, principalmente, para ouvir os seus pontos de vista sobre o sistema monetário bimetálico, um assunto sobre o qual estava se tornando uma autoridade.

Certa noite, durante uma hora ou mais, escutei sua monótona implicância a respeito de como o mau dinheiro estava acabando com o bom, do valor simbólico da prata, da depreciação da rúpia e dos verdadeiros padrões do câmbio.

– Suponha – gritou sem muita agressividade – que todas as dívidas do mundo fossem cobradas simultaneamente e o pagamento fosse exigido de imediato. Sob as nossas atuais condições, o que aconteceria?

Dei-lhe a resposta óbvia de que eu seria um homem arruinado. Com isso, ele pulou da cadeira, reprovando-me pelo meu desânimo habitual que o "impossibilitava de discutir qualquer assunto razoável na minha presença" e retirou-se da sala, indo se vestir e se preparar para uma reunião maçônica.

Enfim fiquei a sós com Gladys, e o momento esperado havia chegado! Durante toda aquela noite eu me senti como o soldado que aguarda o sinal de ataque, com os sentimentos de esperança na vitória e de medo do fracasso se alternando em minha mente.

Gladys sentou-se com aquele seu perfil orgulhoso e delicado delineado contra a cortina vermelha. Como era linda! Porém, como era distante... Éramos amigos, bons amigos, mas eu jamais consegui ir além da mesma camaradagem que poderia estabelecer com algum dos meus colegas repórteres na *Gazette* – perfeitamente sincera, perfeitamente gentil e perfeitamente assexuada. Os meus instintos iam totalmente contra a ideia de que mulheres pudessem ser sinceras e ficar à vontade comigo. Isso não favorece homem nenhum. Onde a verdadeira atração sexual começa, a timidez e a desconfiança são suas companheiras, herança de tempos antigos perversos, quando o amor e a violência andavam de mãos dadas. A cabeça baixa, o olhar esquivo, a voz vacilante, a figura insegura – estes são os verdadeiros sinais da paixão, e não o olhar firme e a conversa franca. Apesar da minha curta vida, aprendi exatamente isso, ou herdei daquela memória que chamamos de "instinto".

Gladys era dotada de todas as qualidades femininas. Alguns a achavam fria e seca, mas essa era uma impressão enganosa. Aquela pele delicadamente bronzeada, de tonalidade quase oriental, aquele cabelo preto, seus grandes olhos cheios de vivacidade, os lábios grossos, mas requintados – todos os sinais de paixão se encontravam ali reunidos. Eu, porém, possuía a triste consciência de que até então jamais encontrara o segredo para despertar algum entusiasmo nela. No entanto, qualquer que fosse o resultado, eu deveria acabar com o suspense e colocar o assunto em pauta. Afinal de contas, o pior que poderia acontecer seria ela me desprezar, mas melhor ser um amante rejeitado do que um irmão bem aceito.

Até então, os meus pensamentos me guiavam e eu estava prestes a romper o longo e desconfortável silêncio, quando dois olhos negros, críticos, olharam para mim e a cabeça altiva balançou numa divertida reprovação.

– Tenho o pressentimento de que você vai propor alguma coisa, Ned. Eu gostaria que você não fizesse nenhuma proposta, porque as coisas ficam muito melhores do jeito como estão.

Puxei a minha cadeira para um pouco mais perto.

– Então, como você sabia que eu ia propor alguma coisa? – perguntei, sinceramente admirado.

– Será que é porque as mulheres sempre sabem? Você acha que alguma mulher no mundo já foi pega de surpresa? Ora, Ned, a nossa amizade tem sido tão boa e tão agradável, que não vale a pena estragar! Você não percebe como é fantástico um rapaz e uma moça poderem conversar cara a cara como nós?

– Não sei, Gladys. Como você sabe, eu posso conversar cara a cara com a chefe da estação do trem... – não consigo imaginar como essa funcionária entrou no assunto, mas assim que foi mencionada, nós rimos. – Isso não me satisfaz nem um pouco, Gladys. Eu quero os meus braços em volta de você e sua cabeça no meu peito. Ora, eu quero...

Ela levantou da cadeira quando percebeu sinais de que eu estava disposto a demonstrar alguns dos meus desejos.

– Você estragou tudo, Ned. Era tudo muito bonito e natural até esse tipo de coisa acontecer! É uma pena! Será que você não consegue se controlar?

– Eu não inventei isso – retruquei. – É a natureza, é o amor.

– Bem, talvez seja diferente se ambos se amarem. Eu jamais senti isso.

– Mas você precisa sentir isso. Você, com sua beleza, com sua alma! Oh, Gladys, você foi feita para o amor! Você precisa amar!

– É preciso esperar até que aconteça.

– Mas, por que você não pode me amar, Gladys? É a minha aparência, ou o quê?

Ela se inclinou um pouco, levantou a mão, numa atitude extremamente graciosa, delicada, e empurrou a minha cabeça para trás. Então, ela olhou para o meu rosto transtornado com um sorriso totalmente melancólico.

– Não, não é isso – ela disse, afinal. – Você não é um rapaz presunçoso por natureza, então posso dizer com segurança que não é isso. É mais profundo.

– É o meu caráter?

Ela concordou, muito séria.

– O que eu posso fazer para consertar isso? Sente-se e vamos conversar a respeito. Não, sério, eu não vou sossegar enquanto você não estiver sentada!

Ela me olhou com uma desconfiança assustada, muito mais significativa do que sua confidência sincera. Como as coisas parecem primitivas e bestiais quando você as coloca preto no branco! Talvez, afinal, fosse apenas um sentimento peculiar a mim. De qualquer forma, ela sentou-se.

– Agora me diga: o que há de errado comigo?

– É que estou apaixonada por outra pessoa – ela disse.

Foi a minha vez de pular da cadeira.

– Não é ninguém em particular... – ela explicou, rindo da expressão no meu rosto. – É apenas um ideal. Ainda não conheci o homem do tipo que eu quero.

– Conte-me a respeito dele. Como se parece?

– Ora! Ele poderia ser muito parecido com você.

– Quanta gentileza sua você me dizer isso! Pois bem, o que é que ele faz que eu não faço? Diga apenas uma palavra: abstêmio, vegetariano, aeronauta, religioso, super-homem. Posso tentar ser qualquer coisa, Gladys, basta você me dar uma ideia do que lhe agradaria.

Ela riu da minha flexibilidade.

– Muito bem! Para começar, acho que o meu homem ideal não falaria assim – ela disse. – Ele seria mais rígido, mais severo, não estaria tão disposto a se adaptar aos caprichos de uma moça boba, mas, acima de tudo, ele teria que ser um homem de ação, um realizador, alguém que enfrentaria a morte sem medo, um homem de grandes feitos e experiências insólitas. Eu amaria apenas o homem, mas as glórias que ele conquistaria refletiriam em mim. Pense no explorador Richard Burton[1]! Quando li a biografia de sua vida escrita pela esposa, eu pude entender o amor dela! E Lady Stanley[2], então! Você já leu o maravilhoso último capítulo daquele livro dela sobre o marido? Por homens desse tipo uma mulher manifestaria adoração com todo o fervor de sua alma, pois ainda assim seria engrandecida, não desmerecida, por causa de seu amor e honrada no mundo todo como a inspiradora de nobres ações.

Ela estava tão bonita em seu entusiasmo que quase não me contive. Mas me segurei firme e continuei argumentando.

– Nem todos podemos ser Stanleys e Burtons – retruquei. – Aliás, nem temos chance. Eu, pelo menos, nunca tive a chance. Se tivesse, certamente haveria de agarrá-la.

– Mas as chances estão ao seu redor. Essa é a marca do tipo de homem que eu quero: ele cria suas próprias chances. Ninguém consegue detê-lo. Nunca encontrei esse homem, mas ainda assim parece que o conheço muito bem. Oportunidades de atos heroicos ocorrem o tempo todo à nossa volta, esperando para serem aproveitadas. Cabe aos homens realizá-los e cabe às mulheres reservarem seu amor em recompensa para tais homens. Veja aquele jovem francês que na semana passada subiu aos ares em um balão. Estava soprando o vento de uma tempestade, mas como ele já havia anunciado sua partida, não se abalou. O vendaval o arrastou por dois mil e quinhentos quilômetros, por vinte e quatro horas, e ele foi cair no meio da Rússia. É um homem desse tipo que eu desejo. Pense na mulher que ele amava e como as outras mulheres a invejaram! É isso o que eu gostaria de ser: invejada por causa do meu homem.

– Para lhe agradar, eu faria isso por você.

---

1 Sir Richard Francis Burton (1821–1890) foi um escritor, antropólogo, geógrafo e explorador britânico que viveu no século XIX. Tornou-se uma grande personalidade por conta de suas descobertas e sua postura progressista e polêmica para a época. (N. E.)
2 Dorothy Stanley (1855–1926) foi uma pintora que ficou conhecida como Lady Stanley após se casar com o explorador Henry Morton Stanley, de quem editou a autobiografia. (N. E.)

– Mas você não deveria fazer isso apenas para me agradar, você deveria fazer porque você não pode se conter, porque é natural em você, porque o homem que existe dentro de você clama por uma expressão heroica. Agora, quando fez a reportagem da explosão na mina de carvão de Wigan no mês passado, você não poderia ter se esforçado e descido para ajudar essas pessoas, apesar da umidade sufocante?

– Mas foi o que eu fiz!

– Você não me contou isso.

– Não achei que valesse a pena me gabar a respeito disso...

– Eu não sabia – ela olhou para mim um pouco mais interessada. – Foi algo muito corajoso da sua parte.

– Eu tinha que fazer isso. Se quiser fazer uma boa reportagem, você precisa estar onde as coisas acontecem.

– Que motivo mais banal! Parece acabar com todo o romantismo do seu ato! Mas, ainda assim, seja lá qual for o seu motivo, fico feliz por você ter descido nessa mina...

Ela me estendeu a mão com tanta doçura e dignidade, que não resisti a me curvar e beijá-la.

– Eu me atrevo a dizer que sou apenas uma mulher tola, com as fantasias de uma garota. No entanto, tudo isso é tão real para mim, faz totalmente parte de mim, de modo que não posso deixar de agir assim. Se me casar, eu quero me casar com um homem famoso!

– E por que não deveria? – exclamei. – São mulheres como você que inspiram os homens. Dê-me uma chance e veja se não aproveito! Além disso, como você diz, os homens devem criar as suas próprias chances e não esperar até que elas lhes sejam dadas. Olhe para o senhor Clive: era um simples funcionário e conquistou a Índia! Por São Jorge! Eu ainda farei algo no mundo!

Ela riu do meu súbito fervor irlandês.

– Por que não? – ela repetiu. – Você tem tudo que um homem poderia ter: juventude, saúde, força, educação, energia. Eu me aborreci com o que você havia falado, mas agora estou feliz, muito feliz, por despertar esses pensamentos em você!

– E se eu...

A afetuosa mão dela descansou como veludo quente em meus lábios.

– Mais nenhuma outra palavra, senhor! Você deveria estar na redação para o turno da noite meia hora atrás, só que eu não tive coragem de lembrá-lo disso. Algum dia, talvez, quando você tiver conquistado o seu lugar no mundo, conversaremos a respeito novamente.

E foi assim que eu me vi naquela noite nublada de novembro, perseguindo o bonde de Camberwell, com o coração palpitando dentro de mim e com a ávida determinação de que não desperdiçaria nem mais um dia antes de encontrar algo digno para oferecer à minha dama. Porém, em todo esse vasto mundo, quem poderia imaginar a forma incrível que esse ato assumiria, ou os estranhos passos pelos quais eu seria levado a realizá-lo?

Pois bem, no final das contas, este capítulo de abertura parecerá ao leitor não ter nada a ver com a minha narrativa. No entanto, não haveria nenhuma narrativa sem ele, pois somente quando um homem cai no mundo, com o pensamento de que oportunidades de atos heroicos ocorrem o tempo todo à nossa volta e com o desejo muito vivo em seu coração de seguir qualquer uma dessas oportunidades que possa estar ao alcance de sua visão, é que ele rompe com a vida que levava para se aventurar nessa maravilhosa zona crepuscular mística onde se encontram as grandes aventuras e as grandes recompensas. Eis-me, então, na redação da *Daily Gazette*, de cuja equipe eu era o membro mais insignificante, com a firme determinação de, se possível nessa mesma noite, encontrar a missão que seria digna da minha Gladys! Foi por teimosia, foi por egoísmo, que ela me pediu para arriscar a vida para sua própria glorificação? Pensamentos assim poderiam ocorrer a alguém na meia-idade, mas jamais ocorreriam em seus ardentes 23 anos e na febre do primeiro amor.

Tente a sorte com o professor Challenger

Sempre gostei do McArdle, o velho editor-chefe ruivo de costas arqueadas, e eu tinha quase certeza de que ele até gostava um pouco de mim. Claro que Beaumont era o verdadeiro chefe, mas ele vivia naquela atmosfera rarefeita, numa determinada altitude olímpica, de onde não conseguia perceber nada menos importante do que uma crise internacional ou uma cisão no gabinete de ministros. Às vezes o víamos passando em majestade solitária rumo ao seu santuário interior, com os olhos fixos no vazio e a mente pairando sobre os Bálcãs ou o Golfo Pérsico. Estava acima e além de nós, mas McArdle era seu primeiro-tenente e era quem conhecíamos. O velho acenou quando entrei na sala e levantou os óculos sobre a testa.

– Bem, senhor Malone, pelo que ouvi, você parece estar se saindo muito bem – disse com seu sotaque escocês.

Eu agradeci.

– A explosão da mina foi excelente, assim como o incêndio em Southwark. Você tem o verdadeiro talento para narrar fatos. Mas, por que queria me ver?

– Para lhe pedir um favor.

Ele pareceu alarmado, e seus olhos se afastaram dos meus.

– Direto ao ponto! Do que se trata?

– O senhor não acha que poderia me enviar em alguma missão especial para o jornal? Eu daria o melhor de mim e traria uma boa reportagem.
– Que tipo de missão você tem em mente, senhor Malone?
– Bem, senhor, qualquer coisa que tivesse aventura e perigo. Eu realmente daria o melhor de mim. Quanto mais difícil for, melhor.
– Você parece muito ansioso para perder a sua vida.
– Para justificar a minha vida, senhor.
– Meu caro senhor Malone, isso é algo um tanto, ou melhor, muito exagerado. Receio que o tempo desse tipo de coisa já tenha passado. As despesas com esse negócio de "enviado especial" dificilmente justificam o resultado. E, é claro que, em qualquer caso, apenas alguém experiente, com um nome que contasse com a confiança do público, receberia tal missão. Os grandes espaços em branco nos mapas estão sendo preenchidos e já não há mais lugar para romantismo em parte alguma. Mas, espere um pouco! – ele acrescentou, com um sorriso repentino no rosto. – Falar dos espaços em branco nos mapas me deu uma ideia. Que tal revelar a fraude de um Münchausen[3] moderno e ridicularizá-lo? Você poderia retratá-lo como o mentiroso que é! Será que isso vai lhe atrair?
– Qualquer coisa, em qualquer lugar, pouco importa.
McArdle ficou mergulhado em pensamentos por alguns minutos.
– Eu me pergunto se você não poderia fazer amizade, ou pelo menos conversar, com o sujeito. Você parece ter uma espécie de talento para estabelecer relações com as pessoas. Parece-me simpatia, magnetismo animal, vitalidade juvenil, ou algo assim. Tomei consciência disso pessoalmente.
– Bondade sua, senhor.
– Então, minha sugestão: tente a sorte com o professor Challenger, de Enmore Park!
Ouso dizer que fiquei um pouco assustado.

---

3 Barão de Münchausen (1720–1797), militar famoso por narrar aventuras e histórias supostamente reais. (N. E.)

– Challenger! – exclamei. – O professor Challenger, famoso zoólogo! Não foi ele quem fraturou o crânio do Blundell, do *Telegraph*?

O editor-chefe sorriu sorrateiramente.

– Você se importa? Não acabou de dizer que procurava aventuras?

– Faz parte do negócio, senhor – respondi.

– Exatamente. Não acho que ele seja sempre tão violento assim. Acredito que o Blundell o pegou no momento errado, talvez, ou da maneira errada. Você pode ter mais sorte, ou mais tato, ao lidar com ele. É algo mais do seu estilo, tenho certeza que a *Gazette* vai apoiar.

– Eu realmente não sei nada sobre ele – respondi. – Só me lembro de seu nome ligado a um inquérito policial pelo ataque ao Blundell.

– Tenho algumas anotações para a sua orientação, senhor Malone. Estou de olho nesse professor há algum tempo – e pegou um papel de uma gaveta. – Esta é a ficha com o perfil dele. Serei breve: Challenger, George Edward. Nasceu em Largs, North Ayrshire, Escócia, em 1863. Formação acadêmica: Largs Academy e Universidade de Edimburgo. Assistente do Museu Britânico, em 1892. Assistente mantenedor do Departamento de Antropologia Comparativa, em 1893. Renunciou após conduta desrespeitosa no mesmo ano. Medalha de pesquisa zoológica, membro estrangeiro... Bom, aqui tem muita coisa, cerca de cinco centímetros em letra de formato pequeno: Sociedade Belga, Academia Americana de Ciências, La Plata, etecetera e tal. Ex-presidente da Sociedade Paleontológica, Associação Britânica e por aí afora! Publicações: "Algumas observações sobre uma série de crânios dos Calmuques", "Esboço da evolução dos vertebrados" e inúmeros artigos, inclusive "A falácia subjacente ao Weismannismo", que provocou acaloradas discussões no Congresso de Zoologia de Viena. Lazer: caminhada, escalada alpinismo. Endereço: Enmore Park, Kensington, Londres. – Pegue, leve com você. Não tenho mais nada para você por enquanto.

Guardei o pedaço de papel no bolso.

– Um momento, senhor – repliquei, quando percebi que ele havia baixado a cabeça careca, sem me encarar com seu rosto avermelhado.

– Ainda não ficou muito claro porque devo entrevistar esse cavalheiro. O que ele fez?

O rosto dele voltou a se erguer, brilhando de satisfação.

– Ele foi para a América do Sul numa expedição solitária há dois anos. Voltou no ano passado. Sem dúvida, foi para a América do Sul, mas se recusou a dizer exatamente aonde. Passou a contar suas aventuras de maneira vaga, mas quando as pessoas começaram a perceber lacunas, simplesmente se fechou como uma ostra. Então, ou algo fantástico realmente aconteceu, ou o homem é o rei da mentira, o que é o mais provável, eu acho. Ele mostrou algumas fotografias desgastadas que trouxe, mas elas foram consideradas falsas. Trata-se de um sujeito tão genioso que agride qualquer um que faça perguntas e empurra repórteres escadas abaixo. Na minha opinião, ele é apenas um megalomaníaco homicida com uma queda pela ciência. Esse é o seu homem, senhor Malone. Agora, dê o fora correndo e veja o que você pode fazer com ele. Você é suficientemente adulto para cuidar de si mesmo. De qualquer forma, fique tranquilo, a Lei de Responsabilidade dos Empregadores lhe dá cobertura total contra qualquer acidente de trabalho.

Aquele rosto vermelho e sorridente mais uma vez voltou a ser uma careca oval e rosa, emoldurada por uma pelagem acobreada. A reunião estava encerrada.

Fui até o Savage Club, mas, em vez de me aproximar, encostei-me nas grades do Adelphi Terrace e olhei pensativo por um longo tempo para o rio barrento e poluído. Sempre consigo pensar de maneira mais precisa e clara ao ar livre. Peguei a lista de façanhas do professor Challenger e a li sob a luz da lâmpada elétrica. Então, tive algo que só posso considerar como uma inspiração. Era correto o que me disseram sobre jamais ter esperanças de entrar em contato com esse professor rabugento como um jornalista. Mas essas recriminações, mencionadas duas vezes no esboço de sua biografia, só podiam significar que ele era um fanático pela ciência. Será que não haveria nenhuma abertura pela qual pudesse se mostrar acessível? Eu tentei.

Entrei no clube. Já passava das onze e o salão estava bastante cheio, embora a agitação ainda não tivesse começado. Notei um homem alto, magro, de feições angulosas, sentado numa poltrona junto à lareira. Ele se virou quando puxei a minha cadeira para perto dele. Era, entre todos os outros, o homem certo que eu precisava escolher. Tarp Henry, do pessoal da revista *Nature*, um sujeito magro, seco e rude, repleto, para aqueles que o conheciam, de bondosa humanidade. Instantaneamente mergulhei no assunto.

– O que sabe do professor Challenger?

– Challenger? – repetiu, cerrando as sobrancelhas em desaprovação científica. – Challenger foi o homem que veio com uma baboseira da América do Sul.

– Que baboseira?

– Ora! Um disparate absurdo sobre alguns animais estranhos que descobriu. Acredito que tenha se retratado depois. De qualquer forma, tudo foi abafado. Ele concedeu uma entrevista para a agência *Reuters* e recebeu tamanha vaia que percebeu que não deveria ter feito isso. Foi um negócio inacreditável. Parece que uma ou duas pessoas se mostraram inclinadas a levá-lo a sério, mas ele logo as dissuadiu.

– Como?

– Bem, com sua grosseria insuportável e seu comportamento impossível. Foi o caso do pobre velho Wadley, do Instituto de Zoologia. Wadley enviou a Challenger a seguinte mensagem: "O presidente do Instituto de Zoologia apresenta os seus cumprimentos ao professor Challenger e consideraria como um favor pessoal se nos honrasse com o comparecimento na próxima reunião". A resposta foi impublicável.

– Você não vai dizer?

– Bem, uma versão bem-educada seria: "O professor Challenger apresenta os seus cumprimentos ao presidente do Instituto de Zoologia e consideraria como um favor pessoal se ele fosse para o diabo que o carregue".

– Santo Deus!

– Sim, acredito que isso foi o que o velho Wadley disse. Lembro-me de ouvi-lo se lamentar na reunião, que foi aberta assim: "Em cinquenta anos de experiência em relações científicas..." Isso acabou com o velho.
– Mais alguma coisa sobre o Challenger?
– Bem, como você sabe, eu sou um bacteriologista. Vivo dentro de um microscópio com novecentos milímetros de diâmetro. Mal posso afirmar que levo a sério qualquer coisa que possa ver a olho nu. Sou um homem do limite extremo daquilo que pode ser conhecido e eu me sinto completamente fora de lugar quando saio do meu campo de estudos e entro em contato com todas essas criaturas enormes, rústicas e grosseiras. Estou distante demais para falar sobre o escândalo, mas ainda em conversas científicas ouvi alguma coisa a respeito desse Challenger, pois ele é um desses homens que ninguém pode ignorar. Ele é tão inteligente quanto dizem, uma bateria carregada de energia e vitalidade, mas um maníaco, destrambelhado e sem escrúpulos. Ele teve a audácia de falsificar algumas fotografias sobre essa coisa da América do Sul.
– Você disse que ele é um maníaco. Qual é a mania dele?
– Ele tem mil manias, mas a mais recente é algo sobre August Weismann[4] e a evolução. Ele teve um bate-boca assustador sobre isso em Viena, acredito.
– Você não pode me dizer o motivo?
– Não no momento, mas temos uma tradução das atas dos debates. Está arquivada na redação. Você gostaria de ver?
– É exatamente o que eu quero. Tenho que entrevistar o cara e preciso de alguma informação a respeito dele. Seria realmente muito bom se você pudesse me dar uma ajuda. Vou com você agora mesmo, se não for muito tarde.

Meia hora depois, eu estava sentado na redação da revista com um enorme volume à minha frente, aberto no artigo "Weismann versus Darwin", com o subtítulo "Calorosa discussão em Viena. Debate

---

4   August Weismann (1834–1914) foi um biólogo alemão evolucionista, diretor do Instituto Zoológico. (N. E.)

animado". Como a minha educação científica foi um pouco negligenciada, não consegui acompanhar toda a argumentação, mas ficava evidente que o professor inglês lidou com o assunto de maneira muito agressiva, incomodando seus colegas do continente. "Protestos", "Vaias" e "Reclamação geral ao presidente" foram três dos primeiros destaques que me chamaram a atenção. Seria melhor que a maior parte do assunto estivesse escrita em chinês, para que qualquer significado racional fosse transmitido ao meu cérebro.

– Eu gostaria que você pudesse traduzi-lo para o inglês para mim – eu disse, pateticamente, ao companheiro que me ajudava.

– Bem, está traduzido.

– Então é melhor eu tentar a minha sorte com o original.

– É certamente um assunto muito profundo para um leigo.

– Se eu conseguisse ao menos uma única frase boa e consistente que parecesse conter algum tipo de ideia humana racional, serviria ao meu intento. Ah, sim, essa aqui serve. De certo modo, quase consigo entendê-la. Vou copiá-la. Este será o meu vínculo com o terrível professor.

– Algo mais que eu possa fazer?

– Bem, sim. Pretendo escrever para ele. Se eu pudesse escrever a carta num papel timbrado daqui e usar o seu endereço, isso criaria um clima.

– Teríamos o sujeito por aqui, batendo boca e quebrando a mobília.

– Não, não! Você verá a carta. Nenhuma controvérsia, eu lhe garanto.

– Bem, esse é o meu local de trabalho, com a minha cadeira e a minha escrivaninha. Você pode usar o papel. Eu gostaria de examinar a carta antes de você enviá-la.

Demorou um pouco, mas posso me gabar de que não ficou um serviço tão ruim quando terminei. Li a carta em voz alta para o meu crítico bacteriologista, com certo orgulho pela minha obra.

Caro professor Challenger, como um humilde estudioso da natureza, sempre tive o mais profundo interesse em suas especulações sobre as diferenças entre Darwin e Weismann. Recentemente tive ocasião de refrescar a minha memória relendo...

– Seu mentiroso infernal! – murmurou Tarp Henry.

– ... *relendo o seu magistral discurso em Viena. Essa declaração lúcida e admirável parece ser a última palavra sobre a questão. Há uma frase nela, no entanto, a saber: "Eu protesto veementemente contra a afirmação insuportável e inteiramente dogmática de que cada id separado é um microcosmo possuidor de uma arquitetura histórica elaborada lentamente através da série de gerações". Você não desejaria, em vista de pesquisas posteriores, modificar essa afirmação? Não acha exagerada? Com a sua permissão, eu gostaria de lhe pedir o favor de um encontro, pois reflito fortemente sobre o assunto e tenho algumas sugestões que só poderia elaborar numa conversa pessoal. Com o seu consentimento, confio que poderei ter a honra de ligar às onze horas da manhã, depois de amanhã (quarta-feira). Eu me despeço, senhor, com garantias de profundo respeito. Cordialmente, Edward D. Malone.*

Em seguida, perguntei, com entusiasmo:

– O que acha?

– Bem, se a sua consciência não pesar...

– Isso nunca falha comigo, ainda.

– Mas o que pretende fazer?

– Chegar lá. Uma vez estando na sala dele, tento encontrar alguma brecha. Posso até abrir o jogo. Se ele tiver espírito esportivo, vai achar graça.

– Isso mesmo, vai ser engraçado! De fato, ele gosta muito de fazer graça. Uma cota de malha ou uniforme de futebol americano: é disso que você vai precisar. Muito bem, adeus. Terei a resposta para você aqui na manhã da quarta-feira, se ele se dignar a lhe responder. Trata-se de um personagem violento, perigoso e rabugento, odiado por todos que cruzam seu caminho, e motivo de piada para seus alunos, na medida em que se atrevem a tomar liberdades com ele. Talvez fosse melhor para você se jamais tivesse ouvido falar do sujeito.

Uma pessoa perfeitamente impossível

O medo, ou melhor, a expectativa do meu amigo não estava destinada a se realizar. Quando cheguei lá na quarta-feira, havia uma carta com o carimbo da agência dos correios de West Kensington, com o meu nome rabiscado no envelope, com uma caligrafia que mais pareciam garranchos. O conteúdo era o seguinte:

Enmore Park, Londres.

Senhor, acuso devidamente o recebimento da sua nota, na qual alega endossar opiniões minhas, embora eu não esteja ciente de que elas dependam do endosso seu ou de qualquer outra pessoa. Você se aventurou a usar a palavra "especulação" a respeito da minha declaração sobre o tema do darwinismo e eu chamaria a sua atenção para o fato de que tal palavra em tal conexão é ofensiva até certo ponto. O contexto me convence, no entanto, de que você pecou mais por ignorância e falta de tato do que por malícia, então fico contente em passar o assunto a limpo. Você cita uma frase isolada da minha palestra e parece ter alguma dificuldade para entendê-la. Eu estava achando que apenas uma inteligência sub-humana poderia deixar de entender o ponto, mas se realmente precisar de esclarecimentos, consentirei em vê-lo no horário mencionado, embora visitas e visitantes de qualquer tipo sejam extremamente desagradáveis para mim. Quanto à sua sugestão de que eu poderia modificar a minha opinião, eu gostaria que você soubesse que não é meu hábito fazer isso depois de expressar deliberadamente minhas visões amadurecidas. Por gentileza, mostre o envelope desta carta ao meu criado, Austin, quando chegar, já que ele tem que tomar todas as precauções para me proteger dos intrusos patifes que se intitulam "jornalistas".

Atenciosamente,

George Edward Challenger

Foi essa a carta que eu li em voz alta para Tarp Henry, que chegou cedo para saber do resultado da minha peripécia. A única observação dele foi: "Acabaram de lançar um produto novo, chamado *cuticura* ou algo assim, que é muito melhor do que a arnica para curativos a serem aplicados em ferimentos". Certas pessoas têm noções muito peculiares do que é engraçado.

Eram quase dez e meia quando recebi a resposta, mas um táxi me levou a tempo ao meu compromisso. Paramos diante de uma imponente casa com pórtico, cujas janelas com cortinas pesadas davam todos os indícios de que aquele formidável professor era muito rico. A porta foi aberta por um sujeito estranho, moreno e magro, de idade incerta, com uma jaqueta de piloto escura e polainas de couro marrom. Descobri, depois, que ele era o motorista, que preenchia o vácuo deixado por uma sucessão de mordomos que fugiram. Ele me olhou de cima a baixo com um olhar azul-claro.

– Você é esperado? – perguntou.
– Tenho um compromisso agendado.
– Trouxe a carta?
Mostrei o envelope.
– Certo!

Parecia alguém de poucas palavras. Seguindo-o pelo corredor, fui subitamente interrompido por uma mulher baixinha que saiu por uma porta que se revelou ser a da sala de jantar. Era uma senhora esperta, viva, de olhos escuros, mais francesa que inglesa em seu tipo.

– Um momento... – ela disse. – Você pode esperar, Austin. Entre aqui, senhor. Posso perguntar se já conheceu o meu marido?

– Não, senhora, ainda não tive a honra.

– Então eu peço desculpas antecipadas a você. Devo lhe dizer que ele é uma pessoa perfeitamente impossível, absolutamente impossível. Estando avisado, você ficará mais propenso a fazer concessões.

– É um gesto muito atencioso da sua parte, senhora.

– Saia rapidamente da sala se ele parecer inclinado a se mostrar violento. Não espere para discutir com ele. Várias pessoas saíram feridas quando fizeram isso. Além disso, há o escândalo público, e isso se reflete em mim e em todos nós. Suponho que não seja a América do Sul a razão por querer vê-lo.

Eu não podia mentir para uma dama.

– Meu Deus! Esse é o assunto mais perigoso para tratar com ele. Tenho certeza que você não vai acreditar numa só palavra do que ouvir, e eu não me admiro, mas não diga isso a ele, pois fica muito violento. Finja acreditar, e talvez não terá problemas. Lembre-se de que ele acredita, mas de uma coisa você pode estar certo: jamais existiu homem mais honesto do que ele. Não demore muito, ou ele poderá suspeitar.

Se você achá-lo perigoso, realmente perigoso, toque a campainha e contenha-o até que eu chegue. Mesmo em seus piores momentos, geralmente consigo controlá-lo.

Com essas palavras encorajadoras, a mulher me entregou ao taciturno Austin, que esperou como uma estátua de bronze de discrição durante nossa curta entrevista. Fui conduzido até o final do corredor. Após uma batida na porta e um berro de dentro, eu fiquei cara a cara com o professor.

Ele estava sentado em uma cadeira giratória atrás de uma mesa ampla, coberta de livros, mapas e diagramas. Quando entrei, ele girou o assento para me encarar. Sua aparência me fez ficar ofegante. Eu estava preparado para algo estranho, mas não para uma personalidade tão avassaladora como aquela. O tamanho dele era de tirar o fôlego, o tamanho e a presença imponente. Sua cabeça era enorme, a maior que eu já tinha visto num ser humano. Tenho certeza de que sua cartola, se me aventurasse a vesti-la, teria escorregado completamente e descansado nos meus ombros. Tinha o rosto e a barba que eu associo a um touro assírio: o rosto era avermelhado, viçoso, e a barba, tão negra que quase parecia ter uma tonalidade azulada, em formato retangular, descia ondulando sobre o peito. O cabelo era peculiar, estampando na frente uma longa franja curva sobre a enorme testa. Os olhos eram cinza-azulados, sob grandes tufos negros nas sobrancelhas, muito claros, muito críticos e muito dominadores. A enorme extensão dos ombros e o peito como um barril eram as outras partes dele que apareciam acima da mesa, além das duas mãos colossais cobertas com longos pelos negros. Tudo isso e mais a voz estrondosa, que rugia e berrava, compuseram a minha primeira impressão do notório professor Challenger.

– E, então... – ele disse, com seu olhar mais insolente. – Do que se trata?

Eu precisava disfarçar a minha decepção, por um pouco mais de tempo, caso contrário, seria evidentemente o fim da entrevista.

– Foi muita bondade sua, senhor, de marcar este compromisso – eu disse humildemente, mostrando-lhe o envelope.

Ele pegou a minha carta e colocou-a diante de si.

– Ora! Você é o jovem que não consegue entender o inglês comum, não é? Mas as minhas conclusões gerais são suficientemente boas para você aprová-las, certo?

– Completamente, senhor, completamente! – fui bastante enfático.

– Meu Deus! Isso fortalece muito a minha posição, não é? A sua idade e a sua aparência tornam o seu apoio duplamente valioso. Bem, pelo menos você é melhor do que aquele rebanho de suínos de Viena, cujo grunhido gregário não é, no entanto, mais ofensivo do que o esforço isolado de um porco britânico – ele olhou para mim como o representante presente desse animal.

– Eles parecem ter se comportado abominavelmente – eu comentei.

– Garanto-lhe que posso lutar as minhas próprias batalhas e que não tenho nenhuma necessidade da sua simpatia. Preste atenção, senhor: sozinho, de cabeça erguida e de costas para a parede, G. E. C. é bem mais feliz assim. Pois bem, senhor, vamos fazer o possível para abreviarmos esta visita, que dificilmente poderá ser agradável para você e é inexprimivelmente irritante para mim. Você teria, pelo que tenho sido levado a acreditar, alguns comentários a fazer sobre a proposição que levantei na minha tese.

Havia uma brutal franqueza em seus métodos, o que dificultava qualquer evasiva. Eu ainda devia fazer o jogo dele e esperar por uma abertura melhor. Parecia bastante simples a distância. Ah! Por que minha espertez de irlandês não poderia me ajudar nessa hora, quando eu precisava de ajuda com tanta urgência? Ele me transfixou com dois olhos de aço, afiados.

– Vamos, vamos! – ele rosnou.

– Eu sou, é claro, um mero estudante... – eu disse, com um sorriso presunçoso. – Não sou mais, confesso, do que apenas um investigador sincero. Apesar disso, pareceu-me que você foi um pouco severo demais com o Weismann nesse assunto. Será que as evidências em geral até a presente data não tendem, por assim dizer, a fortalecer a posição dele?

– Quais evidências? – ele retrucou com uma calma ameaçadora.

– Bem, é claro que estou ciente de que não existem evidências que possam ser chamadas de "claramente definidas". Faço, meramente, alusão à tendência do pensamento moderno e do ponto de vista científico geral, se é que posso expressá-los assim.

Ele se inclinou para frente com total seriedade.

– Suponho que esteja ciente – ele disse, checando pontos em seus dedos – de que o índice craniano é um fator constante.

– Naturalmente – concordei.

– E, que essa telegonia ainda está *sub judice*?

– Sem dúvida.

– E, ainda, que o plasma germinativo é diferente do ovo partenogenético?

– Mas é claro, com certeza! – exclamei e me vangloriei com a minha própria audácia.

– Então, o que isso prova? – ele perguntou, com uma voz gentil e persuasiva.

– Bem... O que prova, de fato? – murmurei. – O que isso prova?

– Devo dizer? – ele sussurrou.

– Ora, por favor!

– Isso prova – ele rugiu, numa súbita explosão de fúria – que você é o maior impostor de Londres. Um jornalista vil e rastejante, que não tem mais ciência do que decência em sua composição!

Ele se colocou de pé com uma raiva furiosa nos olhos. Mesmo nesse momento de tensão, encontrei tempo para me surpreender com a descoberta de que ele era um homem bastante baixo, com a cabeça não muito mais alta do que o meu ombro. Um verdadeiro Hércules atrofiado, cuja tremenda vitalidade havia se acumulado no volume, na largura e no cérebro.

– Embromação! – ele gritou, inclinando-se, com os dedos na mesa e o rosto projetando-se para a frente. – É isso o que eu tenho falado com você, senhor, embromação científica! Você achou que poderia se equiparar em astúcia comigo... Você, com seu cérebro do tamanho de uma noz? Vocês acham que são onipotentes, seus escribas infernais, não é? Que o elogio de vocês pode fazer de alguém um grande homem e a crítica pode destruí-lo? Será que todos nós devemos nos curvar a vocês para tentarmos obter uma palavra favorável? Este homem deve subir um degrau e este outro deve se curvar! Seu verme rastejante, eu conheço você. Você extrapolou a sua posição. A época de cortar as suas orelhas já passou. Você perdeu a noção de proporção, seu fanfarrão arrogante. Vou colocar você no seu devido lugar! Sim, senhor, você não enganou G. E. C. Existe um homem que ainda é seu mestre e ele advertiu você, mas você veio, por Deus, e fez isso por sua conta e risco. Você está perdido, meu bom senhor Malone, eu afirmo que está perdido! Você jogou um jogo bastante perigoso e me parece que perdeu.

– Olhe aqui, senhor – eu disse, voltando-me para a porta e abrindo-a. – Você pode ser tão abusado quanto quiser, mas há um limite para tudo e você não pode me atacar.

– Não posso? – ele retrucou.

Avançando lentamente de um modo peculiarmente ameaçador, ele parou e colocou as mãos grandes nos bolsos laterais da jaqueta curta, quase infantil, que usava.

– Já joguei vários de vocês para fora de casa. Você será o quarto ou quinto. Em média, multa de três libras e quinze xelins para cada um. É caro, mas muito necessário. Agora, senhor, por que você não haveria de seguir o mesmo destino dos seus colegas? Sim, acho que você merece.

Ele retomou seu avanço desagradável e furtivo, caminhando na ponta dos pés, como um mestre dançarino. Eu poderia ter fugido pela porta do corredor, mas teria sido muita covardia. Além disso, um pequeno brilho de justa raiva surgia dentro de mim. Eu estava desesperadamente errado antes, mas as ameaças desse homem estavam me colocando no caminho certo.

– Peço que controle os seus punhos, senhor. Não vou admitir isso.

– Deus meu! – o bigode negro se levantou e um canino branco brilhou num sorriso de escárnio. – Você não vai admitir?

– Não seja tão tolo, professor! – exclamei. – O que está pensando? Eu carrego 95 quilos, sou duro como aço e jogo no centro da terceira linha do rúgbi todo sábado no time dos irlandeses de Londres. Não sou homem de...

Nesse momento ele avançou sobre mim. Foi sorte eu ter aberto a porta, ou teríamos atravessado por ela. Saímos rodopiando pelo corredor. De alguma forma, nós nos enganchamos numa cadeira pelo caminho e seguimos em frente em direção à rua. A minha boca ficou cheia de barba, nossos braços travaram, nossos corpos se entrelaçaram e aquela cadeira infernal enroscava as pernas em nós. O atento Austin abriu a porta do corredor. Rolamos com uma cambalhota para trás pelos degraus da frente. Eu já havia assistido dois acrobatas tentando algo semelhante no circo, mas eles pareciam ter alguma prática e faziam isso sem se machucar. A cadeira se despedaçou na calçada e nós nos fomos parar na sarjeta. Ele ficou de pé, agitando os punhos, ofegante como um asmático.

– Está satisfeito? – ele perguntou com dificuldade.

– Seu valentão infernal! – exclamei enquanto me recompunha.

Então, ele estava prestes a recomeçar e iria às últimas consequências, pois estava fervendo com a luta. Mas felizmente fui resgatado a tempo dessa situação vexatória por um policial que surgiu ao nosso lado, com uma caderneta na mão.

– O que significa isso? Vocês deveriam ter vergonha...

Foi a observação mais racional que ouvi em Enmore Park.

– Bem... – ele insistiu, voltando-se para mim. – O que houve?

– Esse homem me atacou – eu disse.

– Você o atacou? – o policial questionou o professor, que respirava com dificuldade, mas não respondeu nada.

– Aliás, não foi a primeira vez – o policial comentou, aborrecido, balançando a cabeça. – Você se meteu em apuros no mês passado, pelo mesmo motivo. Você deixou o olho desse jovem roxo. Vai dar queixa, senhor?

Eu relevei.

– Não... – eu disse. – Não sei.

– Como assim? – o policial estranhou.

– A culpa foi minha. Eu me intrometi nas coisas dele sem permissão. Ele me preveniu.

O policial fechou a caderneta.

– Que essas coisas não voltem a acontecer – ele disse. – Agora, circulando, circulando!

Essas últimas palavras foram ditas para um rapaz ajudante de açougueiro, uma empregada e um ou dois padeiros que haviam parado para assistir à batalha. O policial se arrastou penosamente pela rua, enxotando esse pequeno rebanho diante dele. O professor olhou para mim, e notei algo curioso em seu olhar.

– Entre! – ele disse. – Nós ainda não terminamos.

Essa fala teve um tom sinistro, mas eu o segui, apesar de tudo, para dentro da casa. O criado, Austin, como uma estátua de madeira, fechou a porta atrás de nós.

É simplesmente a coisa mais importante de que já ouvi falar!

Mal a porta se fechou e a senhora Challenger saiu correndo da sala de jantar. A pequena mulher estava furiosa. Ela barrou o caminho do marido como um frango enfurecido na frente de um buldogue. Evidentemente, ela tinha visto a minha saída, mas não havia notado o meu retorno.

– Você é um bruto, George! – ela gritou. – Machucou aquele rapaz simpático.

Ele apontou com o polegar.

– Aqui está ele, são e salvo atrás de mim.

Ela ficou confusa, mas não sem motivo.

– Sinto muito, não tinha visto você.

– Garanto-lhe, madame, que está tudo bem.

– Ele deixou o seu pobre rosto marcado! Oh, George, como você é bruto! Nada além de escândalos semana após semana. Todo mundo odiando e rindo de você. A minha paciência acabou. Isso é o fim.

– Isso é lavagem de roupa suja – ele rosnou.

– Não é nenhum segredo – ela lamentou. – Por falar nisso, você não acha que toda a rua, aliás, toda a cidade de Londres... Afaste-se, Austin, não queremos você aqui. Você não acha que todos falam de você? Onde está a sua dignidade? Você, um homem que deveria ser professor catedrático numa grande universidade, reverenciado por milhares de estudantes. Onde está a sua dignidade, George?

– Onde está a sua, minha querida?

– Você me provoca demais. Um rufião, um rufião comum, foi o que você se tornou.

– Seja boa, Jessie.

– Sempre rosnando, valentão furioso!

– Você pediu: já para o castigo na banqueta de penitência! – ele disse.

Para meu espanto, ele se inclinou, pegou-a e colocou-a sobre um pedestal de mármore preto no canto da sala. Tinha pelo menos dois metros de altura e era tão estreito que ela mal conseguia se equilibrar. Eu não poderia imaginar cena mais absurda do que aquela mulher empoleirada, com o rosto convulsionado pela raiva, os pés balançando e o corpo rígido, com medo de levar um tombo.

– Coloque-me no chão! – ela gemeu.

– Peça "por favor".

– Você é um brutamontes, George! Deixe-me descer já!

– Entre no escritório, senhor Malone.

– Sinceramente, senhor... – eu disse, olhando para a mulher.

– Aqui está o senhor Malone implorando por você, Jessie. Diga "por favor" e você desce na hora.

– Ora, você é um bruto! Por favor! Por favor!

Ele a colocou no chão como se ela fosse um passarinho.

– Você deve se comportar, querida. O senhor Malone é um homem da imprensa. Ele vai revelar tudo em seu jornal amanhã e vender uma dúzia de exemplares a mais entre os nossos vizinhos: "Estranho caso na alta sociedade". Você se sentiu bem no alto, nesse pedestal, não foi? Depois, vem o subtítulo: "Observando um lar característico". Ele é um urubu, o senhor Malone. Ele se alimenta de carniça, como todos do seu tipo – *porcus ex grege diaboli* – um porco do rebanho do diabo. Não é isso, Malone?

– Você é realmente intolerável! – reagi, indignado.

Ele soltou uma sonora gargalhada.

– Vamos entrar num acordo imediatamente – ele falou, olhando da esposa para mim e estufando o enorme peito.

Então, de repente, alterando o tom de voz ele prosseguiu.

– Desculpe por esse desagradável incidente familiar, senhor Malone. Chamei você de volta com um propósito mais sério do que envolvê-lo em nossas insignificantes rixas domésticas. Retire-se, minha senhorinha, e pare com essa lenga-lenga – ele colocou as mãos enormes sobre os ombros dela. – Tudo o que você diz é perfeitamente verdadeiro. Eu seria um homem melhor se fizesse o que você aconselha, mas, então eu não seria George Edward Challenger. Existem muitos homens melhores, minha querida, mas apenas um G. E. C. Por isso, aproveite o melhor dele...

De repente, ele deu-lhe um sonoro beijo, o que me deixou mais constrangido do que pela violência cometida.

– Agora, senhor Malone – ele continuou, num acesso de grande dignidade –, siga por aqui, por obséquio.

Voltamos para a sala que havíamos deixado ruidosamente dez minutos antes. O professor fechou a porta com cuidado atrás de nós, fez um sinal para eu me sentar numa poltrona e passou uma caixa de charutos embaixo do meu nariz.

– Puro San Juan Colorado – ele disse. – Pessoas animadas como você são as melhores para os narcóticos. Céus! Não morda! Corte, mas corte com reverência! Agora, incline-se para trás e escute atentamente tudo o que eu tiver para lhe dizer. Se tiver algum comentário, reserve-o para um momento mais oportuno.

– Antes de tudo, quanto ao seu retorno à minha casa depois da sua mais do que justificável expulsão... – ele ajeitou a barba e me encarou como alguém que desafia e convida à réplica. – Depois, como eu dizia, da sua bem merecida expulsão, a razão de você voltar aqui foi a sua resposta àquele policial extremamente autoritário, a qual me fez discernir algum vislumbre de bom senso da sua parte, bem mais, pelo menos, do que estou acostumado a associar aos membros da sua profissão. Ao admitir que a culpa pelo incidente poderia ser sua, você deu algumas evidências de um certo desprendimento intelectual e de uma certa amplitude de visão que atraiu o meu parecer favorável. As subespécies da raça humana, às quais você infelizmente pertence, sempre estiveram abaixo do meu horizonte mental. As suas palavras, de repente, colocaram-no acima disso. Você emergiu no nível do meu conceito de seriedade, por isso eu lhe pedi que voltasse comigo, pois estou disposto a conhecê-lo melhor. Por gentileza, deposite as cinzas do seu charuto nessa pequena bandeja japonesa sobre a mesa de bambu ao lado do seu cotovelo esquerdo.

Tudo isso declarou como um professor dirigindo-se à sua classe durante uma aula. Virou a cadeira giratória para ficar de frente para mim e sentou-se, inchado como um enorme sapo-touro, com a cabeça para trás e os olhos semicerrados por pálpebras arrogantes. Então, de repente, se virou de lado e tudo o que eu podia ver dele era o cabelo emaranhado, com uma orelha vermelha e protuberante. Passou a revirar uma pilha de papéis sobre a mesa e logo me encarou com o que parecia ser um caderno de esboços de desenhos bastante esfarrapado na mão.

– Eu vou lhe falar sobre a América do Sul – disse. – Sem comentários, por favor. Antes de mais nada, quero que você compreenda que nada do que eu disser agora é para ser publicado, a menos que você tenha a minha permissão expressa. Essa permissão, com toda probabilidade humana, jamais será dada. Fui claro?

– É bem difícil – eu disse. – Com certeza, uma explicação sensata...

Ele atirou o caderno sobre a mesa.

– Isso termina aqui – ele disse. – Desejo-lhe uma boa manhã.

– Não, não! – exclamei. – Eu me submeto a qualquer condição. Até onde eu posso ver, não tenho escolha.

– Nenhuma nesse mundo – ele disse.

– Bem, então, eu prometo.

– Palavra de honra?

– Palavra de honra.

Ele olhou para mim, ainda com dúvidas em seus olhos insolentes.

— Afinal, o que eu sei sobre a sua honra? — ele ironizou.

— Eu dei a minha palavra, senhor — gritei, com raiva. — Você toma liberdades muito grandes! Nunca me senti tão insultado em toda a minha vida.

Ele pareceu mais interessado do que irritado com a minha reação.

— Cabeça redonda... — ele murmurou. — Braquicéfalo, olhos acinzentados, cabelos negros, com traços de sugestão negroide. Celta, presumo?

— Eu sou um irlandês, senhor.

— Irlandês da Irlanda?

— Sim, senhor.

— Isso, claro, explica tudo. Deixe-me ver. Você me prometeu que a minha confiança será respeitada? Essa confiança, eu posso dizer, está longe de ser completa. Mas estou preparado para lhe dar algumas indicações. Em primeiro lugar, você decerto está ciente de que há dois anos fiz uma viagem à América do Sul, uma viagem que se tornará um clássico na história científica do mundo? O objetivo da minha jornada foi verificar algumas conclusões de Wallace e Bates, algo que só poderia ser feito observando os fatos relatados nas mesmas condições em que eles próprios os notaram. Se a minha expedição não tivesse outros resultados, ainda assim seria digna de nota, pois um curioso incidente que ocorreu comigo enquanto eu estava lá abriu uma linha de pesquisa inteiramente nova.

— Você está ciente, ou provavelmente, nessa época inculta, talvez não esteja, de que regiões inteiras ao redor de algumas partes da Amazônia, por onde correm muitos afluentes, alguns deles totalmente desconhecidos, até agora só foram apenas parcialmente exploradas. O meu negócio era visitar essa área pouco conhecida e examinar a fauna, que me forneceu material para vários capítulos daquele grande e monumental trabalho sobre zoologia que será a justificativa da minha vida. Quando retornava, após a conclusão do meu trabalho, tive a oportunidade de passar uma noite em uma pequena aldeia indígena, em um ponto onde um certo afluente, cujo nome e localização eu guardo comigo, se abre para o rio principal. Os nativos eram índios cucama, uma raça amigável, mas degradada, com capacidades mentais dificilmente superiores às de um cidadão londrino comum. Curei alguns doentes entre eles em meu caminho rio acima e os impressionei consideravelmente com a minha personalidade, de modo que não fiquei surpreso ao me ver ansiosamente aguardado quando retornei. Entendi, pelos sinais deles, que alguém necessitava urgentemente dos meus serviços médicos e segui o cacique até uma oca. Quando entrei, descobri que o enfermo, para cujo socorro eu havia sido chamado, tinha falecido naquele instante. Para minha surpresa, não era nenhum indígena, mas um homem branco. Na verdade, posso até dizer que era um homem muito branco, pois tinha cabelo loiro e algumas características de albino. Estava vestido em farrapos, era muito magro e exibia todos os vestígios de privações prolongadas. Até onde pude entender pelo relato dos nativos, tratava-se de alguém completamente estranho para eles que havia chegado à aldeia pela floresta, sozinho e no último estágio de exaustão.

– A mochila do homem estava ao lado do leito, e examinei o conteúdo. O nome e o endereço dele estavam escritos numa aba interna: Maple White, Lake Avenue, Detroit, Michigan. Esse é um nome para o qual estarei sempre preparado para tirar o meu chapéu. Não é demais dizer que ele constará no mesmo nível do meu quando os créditos finais dessa história vierem a ser conhecidos.

– Pelo conteúdo da mochila, ficava evidente que esse homem tinha sido um artista e poeta em busca de inspiração. Havia fragmentos de versos. Não pretendo ser juiz de tais coisas, mas eles me pareceram singularmente desprovidos de mérito. Havia também algumas figuras bastante comuns de paisagens de rios, uma caixa de tintas, uma caixa de giz colorido, alguns pincéis, aquele osso curvo que fica sobre o meu tinteiro, um volume de *Mariposas e Borboletas*, de Baxter, um revólver barato e alguns cartuchos de munição. De seus equipamentos pessoais, ele não tinha nenhum ou os havia perdido em sua jornada. Eram esses todos os bens desse estranho boêmio americano.

– Eu já estava me afastando dele quando observei algo que se projetava da frente de sua jaqueta esfarrapada. Era este caderno de esboços de desenhos, que estava tão dilapidado como você o vê agora. De fato, posso lhe assegurar que o primeiro fólio de Shakespeare não foi tratado com maior reverência do que esta relíquia, desde o momento em que o tive em minha posse. Entrego-o a você agora. Peço-lhe que veja e examine o conteúdo, página por página.

Ele se serviu de um charuto e recostou-se, observando com um par de olhos ferozmente críticos o efeito que esse documento produziria em mim.

Abri o volume com alguma expectativa de uma revelação, embora de qual natureza eu não pudesse imaginar. A primeira página foi decepcionante, porém, já que não continha nada além da imagem de um homem muito gordo com um blusão, com a legenda "Jimmy Colver no barco do correio" escrita embaixo. Seguiram-se várias páginas cheias de pequenos esboços de índios e seus costumes. Depois apareceu o retrato de um padre alegre e corpulento, que usava chapéu de palha, sentado diante de um europeu muito magro, com a inscrição: "Almoço com frei Cristófero em Rosário". Estudos de mulheres e bebês preenchiam várias outras páginas e em seguida houve uma série ininterrupta de desenhos de animais com explicações como "Peixe-boi num banco de areia", "Tartarugas e seus ovos", "Cutia negra embaixo de uma palmeira meriti", cujo desenho revelava um tipo de animal parecido com o porco. E, por fim, chegava a uma página dupla de estudos de sáurios de focinho longo, muito desagradáveis. Não entendi bem aquilo e comentei com o professor.

– Certamente estes são apenas crocodilos?

– Jacarés! Jacarés! Quase não existem crocodilos na América do Sul. A distinção entre eles...

– Eu quis dizer que não consegui ver nada incomum, nada para justificar o que disse.

Ele sorriu, sereno.

– Tente a próxima página – ele falou.

Eu ainda não era capaz de compreender. Havia um esboço, numa página inteira, de uma paisagem colorida, do tipo de uma pintura que o artista a céu aberto prepara como guia para uma obra futura mais elaborada. Continha um primeiro plano verde-claro de uma vegetação em penacho, que se inclinava para cima e terminava numa linha de penhascos de cor vermelho-escura, curiosamente estriados como algumas formações basálticas que eu conhecia. Elas se estendiam numa parede ininterrupta do outro lado do plano de fundo. Em determinado momento havia uma rocha piramidal isolada, coroada por uma grande árvore, que parecia estar separada por uma fenda do penhasco principal. Por trás de tudo, um céu azul tropical. Uma fina linha verde de vegetação margeava o cume do penhasco avermelhado.

– Então? – ele perguntou.

– É sem dúvida uma formação curiosa – respondi –, mas não sou geólogo a ponto de dizer que seja maravilhosa.

– Maravilhosa! – ele repetiu. – É única, é incrível. Ninguém na terra jamais sonhou com tal possibilidade. Agora, veja a próxima.

Virei a página e soltei uma exclamação de surpresa. Era o retrato em página inteira de uma criatura extraordinária que eu jamais tinha visto, o sonho selvagem de um usuário de ópio, uma visão delirante. Tinha a cabeça parecida com a de uma galinha, o corpo de um lagarto inchado, uma cauda longa equipada com placas pontiagudas viradas para cima e as costas recurvadas eram contornadas por uma franja alta serrilhada, que parecia uma fila de uma dúzia de cristas colocadas umas atrás das outras. Na frente dessa criatura havia um bonequinho absurdo, um anão, em forma humana, olhando para o animal.

– Muito bem, o que acha disso? – gritou o professor, esfregando as mãos com ar triunfante.

– É monstruoso, grotesco.

– Mas o que o fez desenhar um animal assim?

– Estava sob influência de muito gim, eu acho.

– Ora, essa é a melhor explicação que você consegue dar?

– Bem, senhor, qual seria a sua?

– É óbvio que essa criatura existe. Isso foi de fato esboçado a partir da vida real.

Quase caí na risada, mas tive a visão de que sairíamos outra vez rodopiando pelo corredor.

– Sem dúvida, sem dúvida... – eu disse, como alguém que concorda com um imbecil. – Confesso, porém que essa minúscula figura humana me intriga. Se fosse um índio, poderíamos defini-lo como evidência de uma raça de pigmeus na América, mas parece um europeu usando um chapéu de sol.

O professor bufou. Parecia um búfalo enfurecido.

– Você realmente desafia o limite – ele afirmou. – Você amplia a minha visão do possível. Paralisia cerebral! Inércia mental! Que maravilha!

Era uma atitude absurda demais para me deixar com raiva. Na verdade, seria um desperdício de energia, pois quem ficasse com raiva desse homem, ficaria com raiva o tempo todo. Eu me contentei em sorrir entediado.

– Pareceu-me que o sujeito era pequeno – eu disse.

– Olhe aqui! – ele gritou, inclinando-se para a frente e passando seu dedo peludo, do tamanho de uma salsicha grande, pela figura. – Veja essa planta atrás do animal. Suponho que você achou que fosse um dente-de-leão ou um broto de couve-de-bruxelas, não é? Bem, é uma palmeira de marfim-vegetal, que cresce cerca de quinze a dezoito metros. Você não vê que o homem foi colocado com um propósito? Ele realmente não poderia ter ficado na frente daquela fera e vivido para desenhá-la. Ele fez um esboço dele próprio para dar uma ideia da escala da altura. Se ele tivesse, digamos, mais de um metro e meio de altura, a árvore seria dez vezes maior, como é de se esperar.

– Deus do céu! – exclamei. – Então você acha que a fera?... Certamente, a estação de Charing Cross dificilmente serviria de jaula para um bicho desses!

– Apesar do exagero, certamente trata-se de um espécime bem desenvolvido – disse o professor mostrando boa vontade.

– Mas evidentemente toda a experiência da raça humana não deve ser deixada de lado por conta de um único esboço...

Virei as páginas e verifiquei que não havia nada mais no caderno.

– ... de um artista americano errante, que pode tê-lo feito sob efeito de haxixe, delirando de febre, ou simplesmente para satisfazer uma imaginação bizarra. Você não pode, como homem de ciência, defender uma posição como essa.

Em resposta, o professor pegou um livro numa prateleira.

– Esta é uma excelente monografia do meu talentoso amigo Ray Lankester[5]. Nela, há uma ilustração que vai lhe interessar. Ah, sim, aqui está! A inscrição embaixo diz: "Provável aparência em vida do dinossauro jurássico estegossauro. A pata traseira sozinha é duas vezes mais alta do que um homem adulto". Bem, o que você acha disso?

Ele me entregou o livro aberto. Fiquei admirado ao ver a figura. Esse animal, reconstruído de um mundo extinto, tinha certamente uma grande semelhança com o esboço do artista desconhecido.

– Isso é certamente notável – afirmei.

– Mas você não vai admitir que é convincente?

– Pode ser uma coincidência, com certeza, ou esse americano pode ter visto uma figura do tipo e gravado em sua memória. Provavelmente, essa imagem reapareceria a um homem em delírio.

– Muito bem! – disse o professor, indulgente. – Vamos deixar isso assim. Agora vou pedir para você olhar este osso.

Ele me entregou aquilo que já havia descrito como parte das posses do homem morto. Tinha cerca de quinze centímetros de comprimento e era mais grosso do que o meu polegar, com algumas indicações de cartilagem seca numa das extremidades.

– A qual criatura conhecida esse osso pertence? – perguntou-me enfaticamente o professor.

Examinei-o com cuidado e tentei lembrar de algum conhecimento já meio esquecido.

– Pode ser uma clavícula humana bem grossa – eu disse.

O meu companheiro acenou com a mão em desaprovação desdenhosa.

---

[5] Ray Lankester (1847–1929) foi um zoólogo, professor, jornalista e ilustrador científico britânico. (N. E.)

– A clavícula humana é curva. Isso é reto. Tem um sulco na superfície, mostrando que um grande tendão o atravessou, o que não poderia ser o caso de uma clavícula.

– Então devo confessar que não sei o que é.

– Você não precisa se envergonhar de expor sua ignorância, pois suponho que nem todo o pessoal de South Kensington poderia dar o nome disso – ele pegou um pequeno osso do tamanho de um feijão em uma caixa de pílulas. – Tanto quanto eu posso julgar, este osso humano é o análogo do que você segura em sua mão. Isso lhe dará uma ideia do tamanho da criatura. Você observará pela cartilagem que este não é um espécime fossilizado, mas uma amostra mais recente. O que você diz sobre isso?

– Certamente é de um elefante...

Ele estremeceu como se sentisse dor.

– Não! Não fale de elefantes na América do Sul. Mesmo nesses dias de ensino público...

– Bem – interrompi. – Então pode ser de qualquer grande animal sul-americano, como uma anta, por exemplo.

– Pode acreditar, meu jovem, que eu sou versado nos elementos da minha profissão. Este não é um osso concebível, nem de uma anta, nem de qualquer outra criatura conhecida pela zoologia. Pertence a um animal muito maior, muito mais forte e, por qualquer analogia, muito mais feroz do que qualquer outro existente na face da terra, mas que não chegou ao conhecimento da ciência. Você ainda não está convencido?

– Ao menos, estou profundamente interessado.

– Então o seu caso não é incorrigível. Sinto que há razão espreitando em algum lugar, por isso vamos pacientemente procurar por ela. Agora vamos deixar o americano morto e prosseguir com a minha narrativa. Você pode imaginar que eu dificilmente poderia sair da Amazônia sem investigar mais profundamente o assunto. Havia indicações sobre a direção de onde o viajante morto tinha chegado, e as lendas indígenas me guiariam, pois descobri que os rumores de uma terra estranha eram comuns entre todas as tribos ribeirinhas. Você, sem dúvida, já ouviu falar em "curupira"?

– Nunca.

– Curupira é o espírito da floresta, algo terrível, algo malévolo, algo a ser evitado. Ninguém pode descrever sua forma ou natureza, mas é uma palavra de terror ao longo da Amazônia. Agora todas as tribos concordam quanto à direção na qual curupira vive. É a mesma direção de onde o americano tinha vindo. Algo terrível existia nesse caminho. Era meu dever descobrir o que seria.

– Então, o que fez?

A minha irreverência tinha acabado. Aquele homem corpulento havia conquistado a minha atenção e o meu respeito.

– Contornei a extrema relutância dos nativos, uma relutância que se estende até mesmo a falar sobre o assunto, e, por persuasão e dons judiciosos, auxiliados, admito, por algumas ameaças de coerção, consegui que dois deles atuassem como guias. Após muitas aventuras que não preciso descrever e depois de percorrer uma distância que não mencionarei, numa direção que preservo, chegamos finalmente a um trecho da região que nunca foi descrito e, de fato, nunca havia sido visitado, a não ser pelo meu infeliz antecessor. Você, por gentileza, pode olhar isto?

Ele me deu uma fotografia, do tamanho de meia chapa fotográfica.

– A aparência insatisfatória se deve ao fato de que, ao descer o rio, o barco virou e a caixa que continha os filmes não revelados quebrou, com resultados desastrosos. Quase todos ficaram totalmente estragados, uma perda irreparável. Este é um dos poucos que escaparam parcialmente. Essa é uma explicação para as deficiências ou anormalidades que você fará a gentileza de aceitar. Houve rumores de falsificação. Não estou disposto a discutir essa questão.

A fotografia certamente estava bastante desbotada. Um crítico indelicado poderia facilmente ter interpretado mal aquela superfície embaçada. Era uma paisagem cinza, opaca e, à medida que eu decifrava gradualmente os detalhes, percebi que representava uma longa e alta linha de penhascos exatamente como uma imensa catarata vista a distância, com uma planície inclinada coberta de árvores em primeiro plano.

– Acredito que seja o mesmo lugar da imagem pintada – eu disse.

– É o mesmo lugar – respondeu o professor. – Encontrei traços do acampamento do sujeito. Agora olhe para isto.

Era uma visão mais próxima da mesma cena, embora a fotografia fosse extremamente imperfeita. Eu podia ver nitidamente o pináculo de rocha isolado, coroado de árvores, que ficava separado do penhasco.

– Não tenho nenhuma dúvida sobre isso – afirmei.

– Bem, isso já é um ganho – ele disse. – Nós progredimos, não é mesmo? Agora, por favor, olhe para o topo do pináculo rochoso. Você observa alguma coisa aí?

– Uma árvore enorme.

– E na árvore?

– Um pássaro grande – eu disse.

Ele me entregou uma lupa.

– Sim! – exclamei, olhando através dela. – Tem um grande pássaro na árvore. Parece ter um bico considerável. Eu poderia dizer que é um pelicano.

– Não vou elogiá-lo pela sua visão – disse o professor. – Não é um pelicano e nem, na verdade, um pássaro. Talvez lhe interesse saber que consegui abater esse espécime em particular. Foi a única prova absoluta das minhas experiências que consegui trazer comigo para a Inglaterra.

– Então, professor, tem isso? Finalmente, existe uma corroboração tangível!

– Eu tive. Infelizmente, perdeu-se com o resto, no mesmo acidente de barco que arruinou as minhas fotografias. Eu segurava o animal enquanto ele desaparecia no turbilhão das corredeiras e parte de sua asa ficou na minha mão. Perdi os sentidos quando cheguei à margem, mas o que sobrou do meu magnífico exemplar danificado ainda estava intacto. Agora, vou mostrá-lo a você.

De uma gaveta ele retirou o que me pareceu ser a parte superior da asa de um grande morcego. Tinha pelo menos sessenta centímetros de comprimento, um osso curvo, com uma membrana por baixo.

– É um morcego gigante! – sugeri.

– Nada disso! – retrucou o professor, sério. – Vivendo, como vivo, em um ambiente culto e científico, não posso imaginar que os princípios básicos da zoologia sejam tão pouco conhecidos. Não é possível que você não conheça o fato elementar da anatomia comparada, de que a asa de um pássaro é realmente o antebraço, mas a asa de um morcego consiste em três dedos alongados com membranas entre eles! Então, nesse caso, o osso não é certamente o antebraço e você pode ver por si mesmo que essa é uma única membrana pendurada em um único osso e, portanto, que não pode pertencer a um morcego. Assim, se não é nem pássaro e nem morcego, o que é?

O meu pequeno estoque de conhecimentos estava esgotado.

– Eu realmente não sei – confessei.

Ele abriu a mesma obra que já havia apresentado a mim.

– Aqui está – ele disse, apontando para a imagem de um monstro voador extraordinário. – É uma excelente reprodução do dimorfodonte, ou pterodátilo, um réptil voador do período jurássico. Na próxima página, há um diagrama do mecanismo de sua asa. Por favor, compare com o espécime em sua mão.

Uma onda de espanto me assaltou enquanto eu olhava. Eu estava convencido. Não havia como fugir disso. As provas acumuladas eram evidências avassaladoras. O esboço, as fotografias, a narrativa e agora o espécime real: a evidência estava completa. Eu disse isso e disse muito calorosamente, porque senti que o professor era um homem mal compreendido. Ele recostou-se na cadeira, com as pálpebras caídas e um sorriso tolerante, aproveitando o brilho repentino do sol.

– É simplesmente a coisa mais importante de que já ouvi falar! – eu disse, embora o meu entusiasmo fosse jornalístico e não científico. – É colossal. Você é um Colombo da ciência, pois descobriu um mundo perdido. Sinto muito se pareci duvidar, mas isso era inimaginável.

Entendo as evidências quando as vejo e isso deve ser suficientemente bom para qualquer um.

O professor ronronou de satisfação.

– E então, senhor, o que fez em seguida?

– Era estação das chuvas, senhor Malone, e os meus mantimentos estavam esgotados. Explorei uma parte desse enorme penhasco, mas não consegui encontrar nenhuma maneira de escalá-lo. A rocha piramidal, sobre a qual vi e fotografei o pterodátilo, era mais acessível porque era uma espécie de escarpa e eu consegui chegar na metade do caminho até o topo daquilo. Daquela altura, tive uma ideia melhor do planalto no topo dos rochedos. Parecia ser muito grande, já que nem para leste e nem para oeste eu podia ver o fim das falésias cobertas de verde. Embaixo, a região é pantanosa, cheia de cobras, insetos e febres. É uma proteção natural desse território singular.

– Viu algum outro traço de vida?

– Não, não, senhor. Mas, durante a semana em que ficamos acampados na base do penhasco ouvimos alguns ruídos muito estranhos vindos de cima.

– E a criatura que o americano desenhou? Como explica isso?

– Só podemos supor que ele deve ter chegado ao topo e observado de lá. Sabemos, portanto, que existe um caminho para cima. Sabemos também que deve ser muito difícil, senão as criaturas teriam vindo para baixo e invadido a área circundante. Certamente isso está claro?

– Mas como eles chegaram lá?

– Não acho que seja um problema muito difícil – disse o professor. – Só pode haver uma explicação. A América do Sul, como você já deve ter ouvido falar, é um continente de granito. Nesse exato ponto no interior houve, em alguma época distante, uma grande convulsão vulcânica repentina. Esses penhascos, pelo que observei, são de rochas basálticas e, portanto, plutônicas. Uma área talvez tão grande quanto o condado de Sussex foi erguida em bloco, com todo o seu conteúdo de formas de vida, e ficou isolada por precipícios perpendiculares de uma dureza que desafia a erosão de todo o resto do continente. Qual foi o resultado?

Ora, as leis ordinárias da natureza foram suspensas. Vários fatores que influenciam a luta pela existência no mundo inteiro foram neutralizados ou alterados. Criaturas, que de outra forma desapareceriam, sobreviveram. Você observará que tanto o pterodátilo como o estegossauro são jurássicos e, portanto, de uma idade avançada na ordem da vida. Eles foram artificialmente conservados por essas estranhas condições acidentais.

– Mas, certamente as suas evidências são conclusivas. Você só tem que colocá-las perante as autoridades competentes.

– Foi isso que eu, na minha simplicidade, imaginei – disse o professor, amargurado. – Só posso dizer que não foi assim, que em cada ocasião encontrei incredulidade, nascida em parte da estupidez e em parte da inveja. Não é da minha natureza, senhor, me encolher diante de qualquer homem, ou procurar provar um fato se a minha palavra for posta em dúvida. Depois do primeiro, não fui condescendente em mostrar provas tão corroborativas quanto possuo. Se o sujeito se tornou odioso para mim, eu não falo disso. Quando homens como você, que representam a curiosidade tola do público, vieram perturbar a minha intimidade, não fui capaz de recebê-los com alguma reserva digna. Por natureza, admito, sou um bocado impetuoso e, sob provocação, estou inclinado a ser violento. Receio que você tenha notado isso.

Baixei o meu olhar e fiquei em silêncio.

– A minha esposa frequentemente reclama comigo do assunto. Mas, ainda assim, imagino que qualquer homem honrado sentiria o mesmo. Hoje à noite, porém, proponho dar um exemplo extremo do controle da vontade sobre as emoções. Convido você a estar presente na exposição – ele me entregou um cartão que estava em sua mesa. – Você perceberá que o senhor Percival Waldron, um naturalista de algum renome popular, anuncia que vai dar uma palestra às oito e meia no Salão do Instituto de Zoologia, sobre "O Registro das Eras". Eu fui especialmente convidado para subir no palco para fazer um voto de agradecimento ao palestrante. Não perderei a oportunidade, com infinito tato e delicadeza, para lançar algumas observações que possam despertar o interesse do público, de modo que algumas pessoas queiram se aprofundar no assunto. Nada polêmico, você entende, mas apenas uma indicação de que existem profundezas maiores adiante. Vou me segurar fortemente na coleira e ver se por meio desse autocontrole alcanço um resultado mais favorável.

– E eu posso ir? – perguntei ansioso.

– Mas com certeza! – ele respondeu cordialmente.

Ele tinha um gênio difícil, que era quase tão destrutivo quanto sua violência. Seu sorriso de benevolência era uma coisa maravilhosa, quando suas bochechas de repente se agrupavam como duas maçãs vermelhas, entre seus olhos semicerrados e sua grande barba negra.

– Por favor, venha. Para mim, será um conforto saber que tenho um aliado no salão, por mais ineficiente e ignorante que ele possa ser. Imagino que haverá um grande público presente, pois o Waldron, embora seja um charlatão absoluto, tem considerável popularidade. Agora, senhor Malone, eu lhe concedi um pouco mais do meu tempo do que pretendia. Nenhum indivíduo deve monopolizar o que é destinado ao mundo. Terei o prazer de vê-lo na palestra esta noite. Nesse meio tempo, você entenderá que nenhum uso público deve ser feito de qualquer material que lhe mostrei.

– Mas o senhor McArdle, o meu editor-chefe, como você sabe, vai querer saber o que eu fiz.

– Diga-lhe o que quiser. Você pode dizer a ele, entre outras coisas, que se ele mandar mais alguém para se intrometer comigo, será recebido com um chicote de equitação, mas conto com você para que nada disso apareça impresso. Muito bom. Então, no Salão do Instituto de Zoologia, às oito e meia da noite.

Mais uma vez, fiquei impressionado com as bochechas vermelhas, a barba azulada ondulante e os olhos intolerantes, quando ele me dispensou para fora da sala.

Questão de ordem!

Com os traumas físicos relacionados à primeira parte da minha entrevista com o professor Challenger e os dilemas mentais advindos da segunda, eu era um jornalista um tanto desmoralizado quando me vi mais uma vez em Enmore Park. Na minha cabeça, que doía, o único pensamento palpitante era de que realmente havia um fundo de verdade na história daquele homem, que isso teria tremendas consequências e se transformaria em uma reportagem impensável para a *Gazette* quando eu obtivesse permissão para publicá-la. Um táxi esperava no final da rua, então o chamei e fui até a redação. Como de costume, McArdle estava em seu posto.

— Muito bem! — ele exclamou, com expectativa. — O que aconteceu? Parece, meu jovem, que você voltou da guerra. Não me diga que ele o agrediu?

— Tivemos uma pequena desavença no começo.

— Que sujeito é esse! E, o que você fez?

— Bem, ele se tornou mais razoável e conversamos. Mas não consegui nada dele, nada para publicação.

— Não tenho tanta certeza disso. Você tem um olho roxo por causa dele e isso é para ser publicado. Não podemos viver nesse clima de terror, senhor Malone. Devemos colocar o homem em seu devido lugar.

Vou dar uma pequena manchete sobre ele amanhã, só para colocar lenha na fogueira. Apenas me dê o material e eu me comprometo a acabar com o sujeito para sempre. "Professor Münchausen"... Que tal essa manchete sutil? "*Sir* John Mandeville redivivo", "Cagliostro", todos eles grandes impostores e os maiores valentões da história. Vou mostrar que ele não passa de uma fraude.

– Eu não faria isso, senhor.

– Por que não?

– Porque ele não é uma fraude.

– Como assim? – bradou McArdle. – Você não vai me dizer que realmente acredita nessas coisas dele a respeito de mamutes, mastodontes e serpentes aquáticas?

– Bem, não sei nada sobre isso. Não creio que ele tenha qualquer pretensão desse tipo, mas acho que tem algo novo.

– Então, meu rapaz, pelo amor de Deus, escreva!

– Estou preparando a matéria, mas tudo o que sei, ele me relatou em confiança e com a condição de que não divulgasse – resumi em poucas palavras a narrativa do professor. – É nesse pé que estão as coisas.

McArdle parecia profundamente incrédulo.

– Bem, senhor Malone – ele disse finalmente – de qualquer forma, sobre a reunião científica desta noite, não existe nada de confidencial nisso, mas não imagino que algum jornal queira noticiar, pois Waldron já foi desmascarado mais de uma dúzia de vezes e ninguém sabe o que o Challenger vai dizer. Talvez possamos dar um furo jornalístico, se tivermos sorte. De todo modo, você estará lá, então faça uma reportagem bem completa para nós. Estarei de plantão até a meia-noite.

O meu dia foi movimentado e jantei cedo no Savage Club com Tarp Henry, a quem dei algumas informações sobre as minhas proezas. Ele escutou com um sorriso cético em seu rosto magro e riu ao ouvir que o professor tinha me convencido.

– Meu caro amigo, as coisas não acontecem assim na vida real. As pessoas não se deparam com enormes descobertas e depois perdem suas provas. Deixe isso para os romancistas. O sujeito é tão cheio de truques quanto os macacos na jaula do Jardim Zoológico. É tudo asneira.

– Mas e o poeta americano?

– Jamais existiu.

– Eu vi o caderno de desenhos dele.

– O caderno de desenhos do Challenger.

– Você acha que ele desenhou aquele bicho?

– Claro que foi ele. Quem mais faria isso?

– Certo. E as fotografias?

– Não havia nada nas fotografias. Como você mesmo admitiu, era só um pássaro.

– Um pterodátilo.

– Isso é o que ele diz. Ele colocou o pterodátilo em sua cabeça.

– Bem, então, e os ossos?

– Primeiro, eram de algum ensopado irlandês de galinha. Segundo, serviram para a ocasião. Se você for esperto e conhecer o seu trabalho, pode falsificar um osso com a mesma facilidade com que consegue fraudar uma fotografia.

Comecei a me sentir desconfortável. Talvez, afinal de contas, eu tivesse me precipitado em minha concordância. Então, tive um feliz pensamento repentino.

– Você vai à reunião? – perguntei.

Tarp Henry ficou pensativo.

– Não se trata de uma pessoa popular, o genial Challenger – ele afirmou. – Muita gente tem contas a acertar com ele. Devo dizer que ele é considerado o homem mais odiado de Londres. Se os estudantes de medicina aparecerem, não restará nada. Eu não quero me meter em confusão.

– Você poderia pelo menos ouvi-lo contar seu próprio caso.

– Bem, talvez seja justo. Tudo bem. Conte comigo à noite.

Quando chegamos ao salão, encontramos uma multidão muito maior do que eu esperava. Uma fila de carruagens que despejava suas pequenas cargas de professores de barba branca, além do fluxo obscuro de pedestres mais humildes que se amontoava na porta em arco, mostravam que o público seria de populares e, também, de cientistas. De fato, tornou-se evidente para nós, assim que nos sentamos em nossos lugares, que um espírito jovem e até adolescente reinava no exterior, na galeria e nos fundos do salão. Olhando para trás, pude ver fileiras de rostos familiares dos estudantes de medicina. Aparentemente, todos os grandes hospitais enviaram seus representantes. O comportamento do público no momento era bem-humorado, mas apreensivo. Trechos de canções populares eram cantadas em coro, com um entusiasmo que se mostrava um estranho prelúdio para uma palestra científica, e já havia uma tendência para gracejos pessoais, prometendo uma noite divertida para muitos, por mais embaraçosas que essas duvidosas honrarias fossem para seus destinatários.

Assim, quando o velho doutor Meldrum surgiu no palco com sua famosa cartola de abas largas, uma pergunta geral pairou no ar: "Onde será que ele conseguiu essa fantasia?" – de modo que ele rapidamente a tirou e escondeu embaixo da cadeira. Quando o professor Wadley se acomodou em seu lugar, notaram-se comentários em geral afetuosos, vindos de todas as partes do salão, sobre o estado de seu dedão do pé, o que lhe causou óbvio embaraço. A maior recepção de todas, porém, foi durante a entrada do meu novo conhecido, o professor Challenger, quando ele ocupou seu assento na ponta da primeira fileira do palco. Um grito de boas-vindas ecoou assim que sua barba preta despontou no cenário. Então, comecei a suspeitar que Tarp Henry estava certo em sua suposição e que o público não estava lá apenas por causa da palestra, mas porque se espalharam rumores de que o famoso professor participaria do evento.

Houve uma pequena algazarra com a chegada dele, da parte de espectadores bem vestidos nos bancos da frente, como se a demonstração dos estudantes não fosse bem-vinda. Tal saudação foi, de fato, uma explosão de sons ensurdecedores, como o tumulto em uma jaula de carnívoros quando os passos do funcionário com o balde de comida são ouvidos a distância. Talvez houvesse um certo tom ofensivo nessa manifestação, mas ainda assim, no geral, pareceu-me apenas mero tumulto, uma recepção ruidosa para alguém que os divertia e interessava, em vez de alguém de quem eles não gostavam ou desprezavam. Challenger, entediado e tolerante, sorriu com desprezo, como um homem educado receberia os latidos de uma ninhada de filhotes. Sentou-se lentamente, estufou o peito, passou a mão carinhosamente pela barba, olhando com as pálpebras caídas e os olhos arrogantes para o salão lotado diante dele. O alvoroço de sua chegada ainda não tinha desaparecido, quando o professor Ronald Murray, que presidiria a reunião, e o senhor Waldron, o palestrante, encaminharam-se à frente para dar início ao evento.

O professor Murray certamente me desculpará se eu disser que ele tem o problema, comum à maioria dos ingleses, de ser inaudível. Por que cargas d'água as pessoas que têm algo importante a dizer e que merecem ser ouvidas não têm a menor preocupação de saber se estão sendo escutadas? Esse é um dos mais estranhos mistérios da vida moderna. Seus métodos são tão razoáveis quanto a tentativa de se fazer a transferência de um pouco de líquido precioso de uma fonte para um reservatório através de um tubo entupido, que poderia ser desobstruído com um esforço mínimo. O professor Murray fez várias observações profundas para sua gravata branca e para o jarro de água sobre a mesa, com um cintilante piscar de olhos, de lado, para o candelabro de prata à sua direita. Então, ele se sentou e Waldron, o famoso e popular palestrante, levantou-se em meio ao rumor geral dos aplausos. Ele era um homem sério e magro, de voz áspera e agressiva, mas com o mérito de saber assimilar ideias de outras pessoas e transmiti-las de maneira inteligível e até interessante para o público leigo, com um jeito bem-humorado de se pronunciar a respeito dos assuntos mais improváveis, de modo que a precessão do equinócio ou a formação de um vertebrado se tornava um processo altamente divertido quando tratado por ele.

Ele descreveu um panorama da criação, pelo menos da maneira como a ciência a interpreta, em linguagem sempre clara e, às vezes, pitoresca. Falou do globo terrestre, como uma imensa massa de gases incandescentes, girando no céu. Em seguida, imaginou a solidificação, o resfriamento e o enrugamento que formaram as montanhas, o vapor que se transformou em água e a lenta preparação do palco sobre o qual seria representado o inexplicável drama da vida. Sobre a origem da vida, ele foi discretamente vago. O fato de que os germes dificilmente poderiam ter sobrevivido à torrefação original era, pelo que ele declarou, bastante certo. Por isso, eles devem ter surgido depois. Teriam sido gerados a partir de elementos inorgânicos do resfriamento do globo? Muito provavelmente, sim. Os germes teriam chegado de fora, num meteoro? Dificilmente isso seria concebível. No geral, o homem mais sábio era o menos dogmático sobre o assunto. Nós não podemos, ou pelo menos não conseguimos, refazer a vida orgânica em nossos laboratórios a partir de materiais inorgânicos. O abismo que separa a matéria morta e os seres vivos é algo que a nossa química ainda não conseguiu superar. Mas existe a química mais elevada e mais sutil da natureza, que, trabalhando com grandes forças durante longas épocas, poderia muito bem produzir resultados que para nós seriam impossíveis. A partir desse ponto, o assunto teria que ficar em suspenso.

Isso levou o palestrante à grande escalada da vida animal, que começa nos moluscos e em frágeis criaturas marinhas, depois vai subindo vários degraus através dos répteis e dos peixes, até que finalmente chegamos a um rato-canguru, uma criatura que produzia filhotes vivos, ancestral direto de todos os mamíferos e, provavelmente, portanto, de todos na plateia. "Não, não" – gritou um estudante cético na última fileira. Se o jovem cavalheiro de gravata vermelha que gritou "Não, não" – e que supostamente alegaria ter nascido de um ovo – o esperasse depois da palestra, ele ficaria feliz em ver tal curiosidade (risos). Era estranho pensar que o ponto culminante de todo o processo ancestral da natureza resultasse na criação daquele cavalheiro de gravata vermelha. Mas será que o processo parou? Esse cavalheiro deveria ser considerado o produto acabado, a essência e o fim de todo esse desenvolvimento? Ele esperava não ferir os sentimentos do cavalheiro de gravata vermelha se afirmasse que, quaisquer que fossem as virtudes que aquele cavalheiro possuísse na vida privada, ainda assim os vastos processos do universo não seriam justificados se terminassem inteiramente na produção da vida dele. A evolução não era uma força esgotada, mas continuava funcionando e conquistas ainda maiores estariam em andamento.

Tendo assim, em meio ao riso geral da plateia, brincado muito bem com seu interpelador, o palestrante voltou à sua imagem do passado, à seca dos mares, ao surgimento dos bancos de areia, à lenta e viscosa vida que jazia na beira das praias, às lagoas superlotadas, à tendência das criaturas marinhas se refugiarem em planícies lamacentas, à fartura de alimento que as aguardava, tendo como consequência seu enorme desenvolvimento.

– E, a partir daí, senhoras e senhores – ele acrescentou –, aquela assustadora ninhada de sáurios que ainda nos assustam quando vista nas planilhas de Wealden ou Solenhofen, mas que felizmente foram extintos muito antes do primeiro ser humano ter aparecido neste planeta...

– Questão de ordem! – uma voz forte bradou no palco.

O senhor Waldron era rigoroso com a disciplina, e tinha certo talento para o humor ácido, como demonstrou ao lidar com o cavalheiro de gravata vermelha, sendo perigoso interrompê-lo. Mas essa interrupção pareceu-lhe tão absurda que não soube lidar com isso. Assim como um shakespeariano é confrontado por um baconiano rançoso, ou como um astrônomo é atacado por um fanático da terra plana, ele parou por um momento e, erguendo a voz, repetiu lentamente as palavras: "Que foram extintos antes da chegada do homem".

– Questão de ordem! – esbravejou o vozeirão mais uma vez.

Waldron olhou espantado ao longo da linha de professores no palco até que seus olhos pousaram na figura de Challenger, que se recostava na cadeira com os olhos fechados e uma expressão divertida, como se estivesse sorrindo enquanto dormia.

– Já entendi! – Waldron comentou, dando de ombros. – É o meu amigo, o professor Challenger... – e em meio a gargalhadas, ele retomou sua palestra como se essa fosse uma explicação final e não houvesse necessidade de resposta.

Mas o incidente estava longe de ter sido encerrado. Qualquer caminho que o palestrante seguisse por entre as florestas do passado parecia levá-lo a fazer alguma afirmação sobre a vida extinta ou pré-histórica, o que imediatamente trazia à tona o mesmo assunto do professor. O público começou a antecipar essas questões de ordem e a urrar de alegria quando elas aconteciam. Os bancos cheios de estudantes se uniam, e toda vez que a barba de Challenger se movimentava, antes que qualquer som aparecesse, ouvia-se o grito de "Questão de ordem!" de cem vozes e os gritos de resposta de "Ordem no recinto!" e "Vergonha!" de outros tantos espectadores. Embora fosse um palestrante experiente e um homem forte, Waldron ficou abalado. Ele hesitou, gaguejou, ficou repetitivo e se engasgou numa frase mais longa. Por fim, voltou-se furioso para a causa de seus problemas.

– Isso é realmente intolerável! – ele esbravejou, olhando para o palco. – Vou lhe pedir, professor Challenger, que pare com essas interrupções ignorantes e mal-educadas.

Houve um silêncio no salão, os estudantes ficaram paralisados de alegria ao verem os altos deuses no Olimpo brigando entre si. Challenger ergueu lentamente sua figura volumosa da cadeira.

– Eu vou lhe pedir, senhor Waldron – ele retrucou – que, por sua vez, você pare de fazer afirmações que não estejam em estrita concordância com fatos científicos.

Essas palavras desencadearam uma verdadeira tempestade de gritos. "Vergonha! Vergonha!", "Dê a palavra ele!", "Coloque-o para fora!", "Fora do palco!", "Jogo limpo!", foram expressões ouvidas em meio ao alarido geral de ironia ou execração. O presidente, de pé, batia as mãos e reclamava agitado: "Professor Challenger, pontos de vista pessoais depois", eram firmes advertências acima da nuvem de murmúrios ensurdecedores. O questionador se curvou, sorriu, afagou a barba e recaiu na cadeira. Waldron, muito corado e beligerante, continuou suas observações. De vez em quando, ao fazer uma afirmação, lançava um olhar venenoso ao oponente, que parecia estar adormecido profundamente, com o mesmo sorriso largo e feliz no rosto.

Por fim, a palestra terminou. Estou inclinado a pensar que foi prematuramente encerrada, já que a peroração foi apressada e desconexa. O fio condutor da discussão fora rudemente rompido e a plateia estava impaciente e ansiosa. Waldron sentou-se e, depois de um anúncio do presidente da sessão, o professor Challenger levantou-se e avançou até a beira do palco. No interesse do meu trabalho, anotei o discurso dele.

– Peço-lhes perdão, senhoras e senhores! – ele começou a falar, em meio a uma interrupção sonora vinda dos fundos. – Devo lhes pedir desculpas, senhoras, senhores e crianças, já que inadvertidamente omiti uma parte considerável desta plateia...

Tumulto generalizado, durante o qual o professor ficou com a mão levantada e a cabeça enorme acenando com simpatia, como se estivesse concedendo uma bênção à multidão.

– Fui escolhido para fazer um voto de agradecimento ao senhor Waldron pelo discurso pitoresco e imaginativo que acabamos de ouvir. Há pontos com os quais discordo e tem sido meu dever indicá-los à medida que surgem. Entretanto, o senhor Waldron realizou bem o seu objetivo, que era dar uma explicação simples e interessante da concepção que ele tem da história do nosso planeta. As palestras são muito fáceis de ouvir, mas o senhor Waldron vai me desculpar (aqui ele sorriu e piscou para o palestrante) quando eu disser que elas são superficiais e enganosas, já que precisam ser niveladas para a compreensão de um público ignorante (aplausos irônicos). Os palestrantes populares são, por natureza, parasitas (gesto irritado de protesto do senhor Waldron). Eles exploram por fama ou dinheiro o trabalho feito por seus colegas pobres e desconhecidos. O menor fato novo obtido no laboratório, um mero tijolo empilhado na construção do templo da ciência, supera de longe qualquer relato em segunda mão divulgado numa palestra para se passar um tempo ocioso, mas que não representa nenhum resultado útil. Sendo assim, apresento esta reflexão óbvia, não por qualquer desejo de menosprezar o senhor Waldron em particular, mas porque ninguém pode perder seu senso de medida e confundir o acólito com o sumo sacerdote (nesse ponto, o senhor Waldron sussurrou para o presidente, que se levantou a meia altura e disse algo seriamente grave para sua garrafa de água). Mas chega disso! (aplausos ruidosos e prolongados). Deixem-me passar para algum assunto de interesse mais amplo. Qual é o ponto específico sobre o qual eu, como pesquisador original, desafiei o rigor do nosso professor? É sobre a permanência de certos tipos de vida animal na terra. Não falo deste assunto como amador, nem, devo acrescentar, como um palestrante popular. Falo como alguém cuja consciência científica o compele a aderir aos fatos, quando digo que o senhor Waldron está muito errado em supor que, porque ele nunca viu um chamado animal pré-histórico, essas criaturas não mais existem. São, de fato, como ele disse, nossos ancestrais, mas são, se eu puder usar a expressão, nossos ancestrais contemporâneos, que ainda podem ser encontrados com todas as suas características formidáveis e hediondas, se tivermos energia e força para procurar seus redutos. Criaturas que supostamente deveriam ser jurássicas, monstros que caçam e devoram os nossos maiores e mais ferozes mamíferos, ainda existem (gritos de "Tolice"!", "Prove!", "Como sabe disso?", "Questão de ordem!"). Como eu sei, vocês me perguntam? Eu sei, pois visitei alguns desses lugares remotos. Sei, porque vi alguns deles (aplausos, alvoroço e gritos de "Mentiroso!"). Será que eu sou um mentiroso? (concordância generosa e barulhenta). Ouvi alguém dizer que eu era um mentiroso? A pessoa que me chamou de mentiroso, por gentileza, levante-se para que eu possa conhecê-la... Uma voz gritou: "Aqui estou, senhor!". Uma pequena pessoa inofensiva de óculos, debatendo-se furiosamente, foi levantada por um grupo de estudantes.

– Você se atreveu a me chamar de mentiroso?

– Não, senhor, não! – gritou o acusado, desaparecendo como uma caixa de surpresas.

– Se alguém nesta sala ousar duvidar da minha honestidade, ficarei feliz em trocar algumas palavras com ele depois da palestra.

– Mentiroso!

– Quem disse isso?

Novamente o inofensivo contestador, desesperadamente encolhido, foi erguido no ar.

– Se eu descer no meio de vocês...

O coro geral de "Vem, amor, vem!" interrompeu o evento por alguns momentos, enquanto o presidente, levantando-se e agitando ambos os braços, parecia estar regendo uma orquestra. Então, o professor, com o rosto corado, as narinas dilatadas e a barba eriçada, ficou com um humor próprio do guerreiro Berserk.

– Todo grande pioneiro é recebido com a mesma incredulidade. Essa é a marca registrada de uma geração de tolos. Quando grandes fatos são apresentados, se não tiverem a intuição e a imaginação que os ajude a entendê-los, vocês só podem jogar lama nos homens que arriscaram suas vidas para abrir novos campos para a ciência. Vocês perseguiram profetas como Galileu, Darwin e eu (vaias prolongadas e interrupção total).

Tudo isso consta das minhas apressadas anotações feitas na época, mas dão pouca noção do caos absoluto a que a assembleia havia sido reduzida. Tão formidável foi o alvoroço que várias senhoras já tinham se retirado apressadamente. Sisudos e veneráveis senhores pareciam ter aderido ao espírito predominante tanto quanto os estudantes, e vi homens de barba branca erguendo-se e sacudindo os punhos para o professor obstinado. Toda a plateia fervilhava e efervescia como água na fervura. O professor deu um passo à frente e levantou ambas as mãos. Havia algo tão grande, arrebatador e viril no homem que o ruído e o grito murcharam gradualmente diante de seu gesto de comando e de seus olhos magistrais. Ele parecia ter uma mensagem definitiva. Eles se calaram para ouvir.

– Eu não vou contrariá-los – ele disse. – Não vale a pena. A verdade é a verdade e o barulho de um bando de jovens tolos e de seus veteranos igualmente tolos não vai afetar o assunto. Afirmo que abri um novo campo da ciência. Vocês contestam isso (risadas). Então, eu coloco vocês em teste. Não querem indicar um ou mais dentre vocês como seus representantes para testar a minha afirmação?

Summerlee, professor veterano de Anatomia Comparada, levantou-se na plateia. Era um homem alto, magro e amargo, com o aspecto mirrado de um teólogo. Ele desejava, pelo que disse, perguntar ao professor Challenger se os resultados que mencionou em suas observações haviam sido obtidos durante uma viagem às cabeceiras do Amazonas feita por ele dois anos antes.

O professor Challenger respondeu afirmativamente.

Summerlee desejou saber por que o professor Challenger alegava ter feito descobertas em regiões que já haviam sido inspecionadas anteriormente por Wallace, Bates e outros exploradores de reputação científica estabelecida.

O professor Challenger respondeu que Summerlee parecia estar confundindo o Amazonas com o Tâmisa, que na realidade aquele rio era imensamente maior, que Summerlee deveria se interessar em saber que, na direção do Orinoco, com o qual se comunicava, uma área de cerca de cinquenta mil quilômetros se descortinava e que, num espaço tão vasto, não era impossível uma pessoa descobrir algo que outra não havia percebido.

O senhor Summerlee declarou, com um sorriso azedo, que ele avaliava perfeitamente a diferença entre o Tâmisa e o Amazonas e que sabia do fato de que qualquer afirmação sobre o primeiro poderia ser testada, ao passo que sobre o último não poderia. E que ele agradeceria se o professor Challenger fornecesse a latitude e a longitude da região em que os animais pré-históricos poderiam ser encontrados.

O professor Challenger respondeu que ele reservava essas informações por boas razões, mas que estaria preparado para fornecê-las, com as devidas precauções, a um comitê escolhido na plateia. O senhor Summerlee participaria de tal comitê e averiguaria a história dele pessoalmente? O senhor Summerlee afirmou que "sim, eu vou" (sob muitos aplausos).

O professor Challenger replicou.

– Então eu garanto que colocarei em suas mãos o material que lhe permitirá encontrar o caminho. É certo, porém, se o senhor

Summerlee for verificar a minha afirmação, que eu envie alguém para acompanhá-lo. Não vou esconder de vocês as dificuldades e os perigos que existem. O senhor Summerlee precisará de um colega mais jovem. Posso pedir voluntários?

É assim que a grande crise na vida de um homem surge. Será que eu poderia ter imaginado, quando entrei por aquele corredor, que estava prestes a me envolver em uma aventura mais selvagem do que alguma que só ocorreu em meus sonhos? Pensei na Gladys. Não era a oportunidade de que ela falava? Gladys teria me dito para ir. Eu me levantei. Comecei a falar, mas não havia preparado as palavras. Tarp Henry, meu companheiro, me puxava pela camisa, sussurrando: "Sente-se, Malone! Não banque o tolo em público". Ao mesmo tempo, percebi que um homem alto e magro, com cabelos ruivos escuros, alguns bancos à minha frente, também ficou em pé. Ele olhou para mim com olhos duros e raivosos, mas eu me recusei a ceder.

– Eu irei, senhor presidente – repeti várias vezes.

– Nome, nome! – o público gritou.

– O meu nome é Edward Dunn Malone. Sou repórter da *Daily Gazette*. Afirmo ser uma testemunha absolutamente imparcial.

– Qual é o seu nome, senhor? – o presidente perguntou ao meu rival mais alto.

– Eu sou lorde John Roxton. Já estive na Amazônia, conheço todo o terreno e tenho qualificações especiais para essa investigação.

– A reputação de lorde John Roxton como esportista e viajante é, naturalmente, famosa no mundo inteiro – disse o presidente. – Ao mesmo tempo, certamente seria bom ter um membro da imprensa em tal expedição.

– Então eu proponho – disse o professor Challenger – que esses dois senhores sejam eleitos como representantes deste encontro para acompanhar o professor Summerlee em sua jornada a fim de investigar e relatar a veracidade das minhas declarações.

E assim, em meio a gritos e aplausos, nosso destino foi decidido e eu me vi levado para longe no meio da corrente humana que girava em direção à porta, com a minha mente um pouco atordoada pelo novo projeto que tomava conta de mim de forma tão repentina. Quando saí do saguão, reparei, por um momento, num grupo de estudantes que riam na calçada e num braço empunhando um guarda-chuva pesado, que subia e descia no meio deles. Então, em meio a uma mistura de vaias e aplausos, a carruagem do professor Challenger se afastou do meio-fio e eu me vi andando sob as luzes prateadas da Regent Street, cheio de pensamentos sobre a Gladys e de espanto quanto ao meu futuro.

De repente, senti um toque no meu cotovelo. Eu me virei e percebi que encarava os olhos risonhos e magistrais do homem alto e magro que se ofereceu para ser meu companheiro nessa estranha aventura.

– Senhor Malone, pelo que fiquei sabendo – ele disse –, acho que seremos companheiros, certo? Os meus aposentos ficam logo acima desta rua, no Albany. Talvez você faça a gentileza de me reservar meia hora, pois tenho uma ou duas coisas sobre as quais eu gostaria de conversar seriamente.

Eu era o flagelo de Deus

Lorde John Roxton e eu descemos juntos a Vigo Street e atravessamos os portões encardidos da famosa colônia aristocrática. No final de um longo e entediante corredor, o meu novo conhecido abriu uma porta e ligou um interruptor elétrico. Um certo número de lâmpadas que brilhavam em tons matizados banhou toda a sala diante de nós com um esplendor avermelhado. De pé na porta e olhando ao redor, tive uma impressão geral de extraordinário conforto e elegância combinados com uma atmosfera de virilidade. Em todos os lugares, misturava-se o luxo do homem rico de bom gosto e a descuidada desordem do solteiro. Peles ricas e estranhos tapetes coloridos de algum bazar oriental estavam espalhados pelo chão. Fotos e gravuras, que até os meus olhos sem prática podiam reconhecer como sendo raras e de grande valor, estavam penduradas nas paredes. Esboços de pugilistas, bailarinas e cavalos de corrida alternavam-se com um sensual Fragonard, um marcial Girardet e um sonhador Turner. Mas em meio a esses ornamentos variados, estavam espalhados os troféus que trouxeram de volta à minha lembrança o fato de que lorde John Roxton era um dos maiores esportistas e um dos mais completos atletas de sua época. Sobre a moldura da lareira, um par de remos, um azul-escuro cruzado com outro rosa cereja, relembrava o veterano remador de Oxford, enquanto os floretes de esgrima e as luvas de boxe acima e abaixo dos remos eram os equipamentos de um homem que havia conquistado a supremacia nessas respectivas modalidades esportivas. Como ornamento de decoração ao redor da sala, destacava-se uma linha de esplêndidas e pesadas cabeças de animais, os melhores de seu tipo de todos os cantos do mundo, como um raro rinoceronte-branco do Enclave de Lado exibindo seu beiço, sobressaindo-se aos demais.

No centro do tapete vermelho havia uma mesa preta e dourada, uma bela antiguidade em estilo Luís XV, agora profanada pelo sacrilégio de marcas de copos e chamuscas de charuto. Sobre ela havia uma bandeja de prata com tabaco e vários utensílios para fumantes, além de um reluzente suporte de destilados, a partir do qual o meu calado anfitrião passou a encher dois copos altos. Tendo indicado uma poltrona para mim e colocado a minha bebida perto dela, ele me ofereceu um longo e suave charuto Havana. Então, sentando-se do lado oposto ao meu, ele me observou longa e fixamente com seus olhos estranhos, cintilantes e implacáveis – olhos de um azul-claro frio, da cor de um lago glacial.

Através da fina névoa da fumaça do meu charuto, notei os detalhes de um rosto que já era familiar para mim de muitas fotografias: o nariz acentuado e curvo, as bochechas cavadas e caídas, o cabelo escuro e avermelhado, ralo no topo, o bigode viril, áspero, o cavanhaque pequeno e atrevido em seu queixo saliente. Havia nele alguma coisa de Napoleão III, uma pitada de Dom Quixote e com certeza muito daquilo que era a essência do legítimo cavalheiro aristocrata inglês, o apreciador arguto, atento, de cães e cavalos ao ar livre. Sua pele era manchada de vermelho, pela exposição ao sol e ao vento. As sobrancelhas eram espessas e salientes, o que dava àqueles olhos naturalmente frios um aspecto quase feroz, uma impressão que era intensificada por sua testa forte e franzida. De aparência, ele era magro, mas muito fortemente constituído. Na verdade, ele já havia provado muitas vezes que poucos homens na Inglaterra eram capazes de esforços tão continuados. Sua altura era de pouco mais de um metro e oitenta, mas ele parecia mais baixo devido aos ombros peculiarmente curvos. Esse era o famoso lorde John Roxton, sentado ao meu lado, mordendo o charuto e me observando com firmeza, num longo e constrangedor silêncio.

– Bem – ele disse, afinal –, a sorte está lançada, meu jovem companheiro e meu caro amigo. – Essa curiosa expressão ele pronunciou como se fosse uma só palavra: "meu-jovem-companheiro-e-meu-caro-amigo".
– Sim, nós demos um salto, você e eu. Suponho que antes de entrar naquele salão, você não tinha a menor noção disso em sua cabeça, não é?

– Nem imaginava.

– O mesmo aconteceu comigo, eu nem imaginava. E cá estamos nós, atolados até o pescoço nessa história. Porque eu voltei de Uganda há apenas três semanas, reservei um lugar na Escócia para descansar, assinei contrato de aluguel e tudo mais. Era bom demais para ser verdade, não acha? Como foi que isso fisgou você?

– Bem, tudo isso faz parte da minha profissão. Sou jornalista da *Gazette*.

– Claro! Você já disse isso quando aceitou participar. A propósito, eu tenho um pequeno trabalho para você, se puder me ajudar.

– Com prazer.

– Não se importa de correr riscos, não é?

– Qual seria o risco?

– Bem, é o Ballinger. Ele é o risco. Você já ouviu falar dele?

– Não.

– Como assim, meu caro, em que mundo você vive? *Sir* John Ballinger é o melhor cavaleiro do norte. Na minha melhor forma, eu me garanto nas corridas planas, mas nos saltos de obstáculos, ele é meu mestre. Bem, não é nenhum segredo que quando não está treinando, ele bebe muito, "numa média impressionante", como ele mesmo reconhece. Teve um episódio de delírio alcoólico na terça-feira e tem andado enfurecido como um demônio desde então. O quarto dele fica em cima deste. Os médicos dizem que vai ficar tudo bem, assim que conseguir se alimentar. Mas por enquanto ele está deitado na cama, com um revólver embaixo da colcha, e jura que derrubará seis campeões se alguém se aproximar dele. Sendo assim, seus criados estão ameaçando greve.

O Jack é um osso duro de roer e, além disso, tem uma pontaria certeira, mas não podemos deixar o ganhador do Grande Prêmio Nacional morrer assim, não é?

– O que pretende fazer então? – perguntei.

– Bem, a minha ideia é de você e eu irmos ajudá-lo. Ele pode estar cochilando e, na pior das hipóteses, só conseguirá ferir um de nós. Enquanto isso, o outro o domina. Se pudermos imobilizá-lo com a fronha do travesseiro ao redor dos braços, em seguida fazemos a lavagem gástrica, por meio de sonda estomacal. E, então, daremos ao velho figurão o jantar que vai salvar sua vida.

Era uma questão bastante desesperadora para entrar de repente na agenda de um dia de trabalho de alguém. Eu não me considero um homem particularmente corajoso. Tenho uma imaginação irlandesa que torna o que é desconhecido e o que não foi experimentado mais terríveis do que são. Por outro lado, fui criado com horror de ser covarde e tenho pavor de tal estigma. Ouso dizer que poderia me lançar de um precipício, como o huno dos livros de história, se a minha coragem para fazer isso fosse questionada. E, ainda assim, certamente a minha inspiração seria por orgulho e temor, em vez de coragem. Portanto, embora todos os nervos do meu corpo se contraíssem diante da figura enlouquecida pelo uísque que eu imaginava encontrar no quarto acima, respondi ainda, no tom de voz mais negligente possível, que estava pronto para ir. Algumas observações posteriores de lorde Roxton sobre o perigo só me irritaram.

– Falar não melhora a situação – eu disse. – Vamos lá.

Eu me levantei da cadeira e ele, também. Então, contendo um riso de satisfação, ele bateu duas ou três vezes no meu peito e finalmente me empurrou de volta para a minha cadeira.

– Tudo bem, meu caro, pode deixar comigo – ele disse.

Olhei surpreso.

– Cuidei pessoalmente do Jack Ballinger esta manhã. Ele fez um buraco na manga do meu quimono! Que Deus abençoe sua velha mão trêmula. Bem, consegui colocar nele uma jaqueta como se fosse uma camisa de força. Ele ficará bem em uma semana. Quer saber de uma coisa, meu caro? Espero que você não se importe, não é? Como você vê, cá entre nós, eu considero esse negócio da América do Sul uma coisa muito séria, e se eu tiver que levar um companheiro, quero que seja tão homem como eu. Então, testei você e estou inclinado a dizer que você se saiu bem dessa vez. Como você vê, tudo vai depender de nós, pois esse velho Summerlee vai precisar de uma babá desde o primeiro dia. A propósito, por acaso você não é o Malone que espera ser convocado para a seleção de rúgbi da Irlanda?

– Para a reserva, talvez.

– Achei que me lembrava do seu rosto. Sabe, eu estava lá quando você fez aquela jogada contra o Richmond – o melhor drible de corrida que eu vi nessa temporada. Jamais perco uma partida de rúgbi se puder assistir, pois é o jogo mais viril que nos restou... Bom, eu não lhe pedi para vir aqui apenas para falarmos de esporte. Temos que acertar os nossos negócios. Aqui estão os horários, na primeira página do *Times*. Um transatlântico da *Booth Line* vai partir para o Pará na quarta-feira da próxima semana e se o professor e você estiverem de acordo, acho que podemos embarcar nele, não acha? Muito bem, vou combinar isso com ele. E quanto ao seu equipamento?

– O jornal cuidará disso.

– Você sabe atirar?

– Dentro do padrão médio do serviço militar.

– Deus do céu! É tão fraco assim? Parece que é a última coisa que vocês jovens pensam em aprender. Todos vocês são como abelhas sem ferrões, servem apenas para ver se a colmeia continua no lugar. Então, fazem papel de bobos, no dia em que alguém aparece para colher o mel. Mas na América do Sul você precisa saber manejar a sua arma, pois, a menos que o nosso amigo professor seja louco ou mentiroso, poderemos ver a coisa engrossar antes de voltarmos. Que arma você tem?

Ele foi até um armário de carvalho e, quando abriu a porta, vislumbrei fileiras de reluzentes canos de fuzis alinhados em paralelo, como os tubos de um órgão.

– Vou ver o que posso separar para você da minha própria coleção – ele disse.

Um por um, ele tirou vários belos fuzis, abrindo-os e fechando-os com um estalo e um clique e, depois, acariciava-os enquanto os colocava de volta na prateleira, tão ternamente como uma mãe acaricia seus filhos.

– Este é um Bland, ponto 577 *express*, de pólvora sem fumaça – ele disse. – Eu derrubei esse sujeito grandalhão com isto – olhou para o rinoceronte-branco. – Mais dez metros e ele teria me adicionado à sua coleção pessoal. "Da bala cônica, a sorte dele dependia. Assim, justa vantagem o mais fraco teria...". Espero que você conheça Gordon, filho de escocês, que é o poeta das armas e dos cavalos, um homem que sabe lidar com ambos. Bem, aqui está uma ferramenta útil: ponto 470, mira telescópica, ejetor duplo, acerta alvos até trezentos e cinquenta metros com precisão. Foi esse rifle que usei contra traficantes de escravos peruanos há três anos. Eu era o flagelo de Deus naquelas paragens, posso lhe dizer, embora você não encontre nenhuma menção disso em nenhum almanaque oficial. Há momentos, meu caro, em que cada um de nós deve defender o direito humano e a justiça, ou você jamais se sentirá limpo novamente. Foi por isso que fiz a minha pequena guerra. Declarei-a por conta própria, eu mesmo a realizei e a encerrei sozinho. Cada entalhe desses na coronha representa um assassino de escravos derrubado. Uma boa série deles, não acha? Essa marca maior é a do Pedro Lopez, o rei de todos eles, que eu matei em um remanso do Rio Putomayo. Bom, tenho aqui algo que vai servir para você!

Ele pegou um belo rifle marrom e prateado.

– Bem emborrachado na coronha, mira aguçada, cinco cartuchos no carregador. Você pode confiar a sua vida nisto.

Ele me entregou a arma e fechou a porta do seu armário de carvalho.

– A propósito, o que você sabe sobre esse professor Challenger? – ele prosseguiu, voltando para sua cadeira

– Jamais o tinha visto até hoje.

– Bem, nem eu. É engraçado que nós dois possamos navegar sob ordens lacradas de um homem que mal conhecemos. Ele parecia um velho sujeito presunçoso. Seus colegas cientistas também não parecem muito afeiçoados a ele. Como se interessou pelo assunto?

Contei-lhe brevemente as minhas experiências da manhã e ele escutou atentamente. Então, ele desenhou um mapa da América do Sul e colocou-o na mesa.

– Acredito que cada palavra que ele disse a você seja verdade – ele disse, com sinceridade. – E, lembre-se, tenho boas razões para falar assim. A América do Sul é um lugar que amo e acho que se você for direto da Região de Darién até a Terra do Fogo, estará no maior, mais rico e maravilhoso pedaço de terra deste planeta. As pessoas ainda não sabem disso e nem percebem no que pode se tornar. Eu estive lá, para cima e para baixo, de ponta a ponta, em duas temporadas secas por aquelas regiões, como eu disse a você quando falei da guerra que desencadeei contra os traficantes de escravos. Bem, quando eu estava lá, ouvi alguns rumores desse mesmo tipo: tradições de índios e coisas assim – mas, com alguma coisa por trás delas, sem dúvida. Quanto mais você conhece aquela região, meu caro, mais você entende que qualquer coisa é possível, tudo é possível! Existem apenas alguns estreitos roteiros pela água, ao longo dos quais as pessoas viajam, e fora isso, tudo é mistério. Agora, daqui embaixo, no Mato Grosso – ele passou o charuto por uma parte do mapa – até aqui em cima, nesse canto onde três países se encontram, nada me surpreenderia. Como disse esse sujeito hoje à noite, existem quarenta e cinco quilômetros de caminhos de água através de uma floresta que está muito perto de ter o tamanho da Europa. Você e eu poderíamos estar tão distantes um do outro quanto a Escócia fica de Constantinopla e ainda assim, cada um de nós estaria na mesma grande floresta brasileira. O homem acabou de abrir uma trilha aqui e uma picada ali nesse labirinto. Ora, na melhor parte, o rio sobe e desce cerca de doze metros e metade da região é um pântano que não deixa você passar. Por que uma coisa nova e maravilhosa não poderia estar em um país assim? E por que não seríamos os homens a descobrir isso?

Além do mais – ele acrescentou, com seu rosto rude e magro, brilhando de prazer – há um risco esportivo a cada quilômetro. Eu sou como uma velha bola de golfe: tive toda a minha tinta branca arrancada há muito tempo. A vida pode me castigar, mas não pode deixar marcas; assim o risco esportivo, meu caro, é o sal da existência. Só então vale a pena viver. Estamos todos levando uma vida muito tranquila, aborrecida e confortável. Dê-me, então, grandes terras esquecidas e vastos espaços, com uma arma na mão e algo para procurar, algo que valha a pena encontrar. Eu já experimentei guerras, corridas de obstáculos e aviões, mas essa caçada às feras, que se parece um pesadelo depois de uma ceia de lagostas, é uma sensação totalmente nova! – ele riu de satisfação diante dessa perspectiva.

Talvez eu tenha falado demais sobre esse novo amigo, mas ele deveria ser meu companheiro por muitos dias. Então, tentei mostrá-lo como o vi da primeira vez, com sua personalidade singular e seus pequenos truques de linguagem e de pensamento. Foi só a necessidade de prestar contas ao jornal da minha participação na conferência que, por fim, me afastou de sua companhia. Deixei-o sentado, envolto naquela luz avermelhada, lubrificando a trava de seu rifle favorito, enquanto ele ainda ria para si mesmo ao pensar nas aventuras que nos aguardavam. Para mim ficou muito claro que, se haviam perigos à nossa frente, eu não poderia em toda a Inglaterra ter encontrado uma cabeça mais fria ou um espírito mais corajoso para compartilhá-los.

Naquela noite, cansado dos prodigiosos acontecimentos do dia, sentei-me até tarde com McArdle, o editor-chefe, para explicar-lhe toda a situação, que ele considerou suficientemente importante para na manhã seguinte levar ao conhecimento de *sir* George Beaumont, o diretor. Ficou acertado que eu deveria escrever relatos completos de minhas aventuras na forma de sucessivas cartas a McArdle e que estas deveriam ser editadas pela *Gazette* quando chegassem, ou guardadas para serem publicadas mais tarde, de acordo com os desejos do professor Challenger, uma vez que ainda não sabíamos que condições ele poderia anexar às orientações que deveriam nos guiar para a terra desconhecida.

Em resposta a uma indagação por telefone, recebemos nada mais do que uma fulminante manifestação contra a imprensa, que terminava com a observação de que, se indicássemos o nosso navio, ele nos entregaria quaisquer instruções que pudesse achar apropriadas no momento da partida. Uma segunda pergunta nossa não conseguiu obter qualquer resposta, exceto um balbuciante relato da esposa no sentido de que seu marido já estava com temperamento violento e que ela esperava que não fizéssemos nada para piorar. Uma terceira tentativa, no final do dia, provocou um ruído terrível de queda e a mensagem subsequente da Central Exchange de que o aparelho receptor do professor Challenger havia sido destruído. Depois disso, abandonamos toda tentativa de comunicação.

E agora, meus pacientes leitores, não poderei mais dirigir-me diretamente a vocês. A partir de agora (se, de fato, qualquer continuação dessa narrativa chegar a vocês), só lhes falarei através do papel que represento. Nas mãos do editor deixo este relato dos acontecimentos que levaram a uma das mais notáveis expedições de todos os tempos, de modo que, se eu nunca mais voltar à Inglaterra, haverá algum registro de como o caso aconteceu. Estou escrevendo estas últimas linhas no salão do transatlântico *Francisca* da *Booth Line* e elas retornarão pelo capitão aos cuidados do senhor McArdle. Deixem-me retratar uma última cena antes de fechar este caderno, uma cena que será a última lembrança do velho país que carregarei comigo.

A manhã estava úmida e nevoenta no final da primavera e uma chuva fina e fria caía. Três figuras vestindo capas impermeáveis gotejantes desciam o cais em direção à prancha de embarque do grande navio onde tremulava a bandeira azul com um quadrado branco no centro, indicando que a embarcação prestes a partir. Na frente deles, um porteiro empurrava um carrinho cheio de malas, embrulhos e estojos de armas. O professor Summerlee, uma figura esguia e melancólica, caminhava com passos arrastados e a cabeça caída, como alguém que já estava profundamente arrependido de si mesmo. Lorde John Roxton andava rapidamente e seu rosto magro e ansioso brilhava entre o boné de caçador e cachecol. Quanto a mim, estava feliz por ter conseguido deixar os agitados dias de preparativos e as dores da despedida para trás, e eu não tinha dúvidas de que demonstrava isso nas minhas atitudes. De repente, assim que chegamos ao navio, ouvimos um grito. Era o professor Challenger, que havia prometido assistir à nossa partida. Aquele sujeito irascível, de rosto avermelhado, veio correndo esbaforido até nós.

– Não, obrigado! – ele agradeceu. – Eu prefiro não subir a bordo. Tenho apenas algumas palavras para lhes dizer e elas podem muito bem ser ditas de onde estamos. Imploro para que não achem que eu esteja de alguma forma em dívida com vocês por terem feito isso. Eu gostaria que vocês entendessem que essa é uma questão perfeitamente indiferente para mim e eu me recuso a aceitar o mais remoto vestígio de obrigação pessoal. A verdade é a verdade e nada que vocês possam informar haverá de afetá-la de alguma forma, embora essas informações talvez possam agitar as emoções e aliviar a curiosidade de muita gente inconsequente. As minhas instruções, quanto à orientação e o direcionamento de vocês, estão neste envelope lacrado. Vocês só devem abri-lo quando chegarem a uma cidade na Amazônia chamada Manaus, embora não antes da data e nem da hora marcadas no lado de fora. Estou sendo claro? Confio inteiramente na dignidade de vocês com relação à estrita observância das minhas condições que lhes foram impostas. Não, senhor Malone, eu não colocarei nenhuma restrição em sua correspondência, já que a divulgação dos fatos é o objetivo da sua jornada, mas solicito que não dê detalhes sobre o destino exato e que nada seja realmente publicado até o seu retorno. Adeus, senhor, você está fazendo algo para aliviar os meus sentimentos pela profissão abominável à qual infelizmente pertence. Adeus, lorde John! A ciência é, no meu entender, um livro lacrado para a sua pessoa, mas o senhor poderá ser recompensado pelos campos de caça que o aguardam. Sem dúvida, o senhor terá a oportunidade de descrever para a revista *Field* como derrubou o dimorfodonte. E adeus a você também, professor Summerlee. Se o senhor ainda for capaz de se aperfeiçoar, algo de que sinceramente não estou convencido, com certeza voltará a Londres como um homem mais sábio do que quando partiu.

Então ele deu meia-volta e, um minuto depois, do convés, pude ver sua figura baixa e atarracada capengando ao longe, enquanto voltava para a estação de trem. Bem, estávamos bem no meio do canal. O sino tocou pela última vez para o correio recolher as cartas e dar adeus ao prático e seu rebocador. A partir de agora, nós estaremos "de casco baixo, sulcando a velha rota marítima". Que Deus abençoe tudo o que ficou para trás e nos traga de volta em segurança.

Amanhã nós desapareceremos no desconhecido

Não vou aborrecer aqueles a quem essa narrativa puder chegar dando conta da nossa luxuosa viagem no transatlântico da *Booth Line*, nem vou contar sobre a nossa estadia de uma semana no Pará (exceto que eu gostaria de reconhecer a grande gentileza da Companhia Pereira Pinto em nos ajudar a reunir o nosso equipamento). Também mencionarei brevemente a nossa jornada fluvial, por um rio imensamente vasto, de correnteza lenta e tonalidade argilosa, em um navio a vapor que era um pouco menor do que o que nos levou através do Atlântico.

Finalmente, nós atravessamos os estreitos de Óbidos e chegamos à cidade de Manaus. Ali fomos resgatados das acomodações limitadas da pousada local pelo senhor Shortman, representante da *British and Brazilian Trading Company*, que nos levou para sua hospitaleira fazenda, onde passamos o resto do nosso tempo até o dia em que tivemos autorização para abrir o envelope com as instruções que o professor Challenger nos deu. Antes de chegar aos eventos surpreendentes dessa data, eu desejaria fazer um esboço mais claro dos meus companheiros nessa empreitada e dos auxiliares que já havíamos reunido na América do Sul. Vou falar livremente e deixo o uso do meu material a seu próprio critério, senhor McArdle, já que é através de suas mãos que este relatório deve passar antes que ele chegue ao mundo.

As realizações científicas do professor Summerlee são muito bem conhecidas para que eu me dê ao trabalho de recapitulá-las. Ele está mais bem preparado para uma expedição difícil como essa do que se poderia imaginar à primeira vista. Sua figura alta, magra, imponente, praticamente insensível à fadiga e sua maneira seca, meio sarcástica, muitas vezes totalmente antipática, não se deixa influenciar por nenhuma mudança no ambiente. Embora já tenha 66 anos de idade, nunca o vi expressar qualquer insatisfação pelas dificuldades ocasionais que tivemos de enfrentar. Eu havia considerado sua presença como um empecilho para a expedição, mas, na verdade, agora estou bem convencido de que sua capacidade de resistência é tão grande quanto a minha. Por temperamento, ele é naturalmente mal-humorado e cético. Desde o início, jamais escondeu sua crença de que o professor Challenger seria uma fraude absoluta, que todos nós embarcamos em uma absurda caçada a um pato selvagem e que não encontraríamos nada além de decepções e perigos na América do Sul, além do respectivo ridículo na Inglaterra. Essa opinião, sempre acompanhada de uma careta muito significativa de suas feições franzinas quando sacudia a barbicha fina que o fazia parecer um bode, ele despejou em nossos ouvidos durante todo o trajeto, de Southampton a Manaus. A partir do desembarque do navio, Summerlee encontrou algum consolo com a beleza, a variedade e a vida animada dos pássaros e insetos ao seu redor, pois ele é absolutamente sincero em sua devoção à ciência. Agora, ele passa os dias perambulando na floresta com sua espingarda e a rede de borboletas e ocupa as noites classificando os muitos espécimes que capturou. Entre suas peculiaridades secundárias está o fato de ser descuidado quanto aos trajes, a falta de higiene pessoal, a excessiva distração em seus hábitos e o vício de fumar um cachimbo curto, que raramente sai de sua boca. Ele participou de várias expedições científicas na juventude (esteve com Robertson em Papua) e a vida em acampamentos e canoas não tinha nenhuma novidade para ele.

O Mundo Perdido

Lorde John Roxton tem alguns pontos em comum com o professor Summerlee, mas, em outros, eles são a própria antítese um do outro. Apesar de ser vinte anos mais novo, tem um pouco do mesmo físico magro e forte. Quanto à aparência, recordo-me de tê-lo descrito naquela parte da minha narrativa que ficou para trás em Londres. Ele é excessivamente limpo e aprumado, veste-se sempre com muito apuro com ternos brancos, botas altas de proteção e se barbeia pelo menos uma vez por dia. Como a maioria dos homens de ação, ele é lacônico e mergulha em seus próprios pensamentos, mas é rápido quando responde a uma pergunta ou participa de uma conversa, falando de um jeito esquisito, brusco e meio engraçado. Seu conhecimento do mundo, muito especialmente da América do Sul, é surpreendente e ele tem uma crença sincera nas possibilidades da nossa jornada, que não se abala com os escárnios do professor Summerlee. Tem uma voz gentil e um jeito tranquilo de ser, mas por trás de seus cintilantes olhos azuis esconde-se uma capacidade implacável de seguir uma decisão e de explodir em ira, mais perigosa ainda porque é reprimida. Ele falava pouco de suas próprias façanhas no Brasil e no Peru, mas ver o entusiasmo causado por sua presença entre os nativos ribeirinhos, que o consideravam herói e protetor, foi uma revelação para mim. As façanhas do Chefe Vermelho, como o chamavam, tinham se tornado lendas entre eles, mas a realidade dos fatos, pelo que eu pude perceber, não era menos surpreendente.

Acontece que, alguns anos antes, lorde John se encontrava naquela terra de ninguém formada pelas fronteiras indefinidas entre o Peru, o Brasil e a Colômbia. Nessa grande área, floresce a seringueira nativa, que produz o látex da borracha, cuja extração se tornou, como no Congo, uma maldição para os selvagens, que só pode ser comparada ao trabalho forçado sob o domínio dos espanhóis nas antigas minas de prata de Darién. Um punhado de vilões mestiços dominava a região, armava os índios que os apoiavam e transformava o resto em escravos, aterrorizando-os com as mais desumanas torturas, a fim de forçá-los a recolherem o látex, que era então transportado pelo rio até o Pará. Lorde John Roxton protestou em nome das miseráveis vítimas e recebeu apenas ameaças e insultos por seus esforços. Ele, então, declarou formalmente guerra contra Pedro Lopez, o líder dos traficantes de escravos. Recrutou um bando de escravos fugitivos, armou-os e realizou uma campanha que terminou com a morte em suas próprias mãos do notório mestiço, destruindo o sistema que ele representava.

Não é de admirar que aquele homem ruivo, acessível, de voz suave e maneiras simples, fosse agora visto com profundo interesse nas margens do grande rio sul-americano, embora os sentimentos que ele inspirava fossem naturalmente misturados, já que a gratidão dos nativos era igualada pelo ressentimento daqueles que desejavam explorá-los. Um resultado útil de suas experiências anteriores, era que ele conseguia conversar fluentemente na "*lingoa geral*", que é o idioma peculiar, com um terço de palavras em português e dois terços de termos indígenas, que atualmente se fala em todo o Brasil.

Eu já disse antes que lorde John Roxton era fanático pela América do Sul. Ele não podia falar dessa grande região sem entusiasmo, e esse entusiasmo era contagiante, pois, totalmente ignorante como eu era a respeito do assunto, fixava a minha atenção e estimulava a minha curiosidade. Como eu gostaria de poder reproduzir o *glamour* de seus discursos, com a mistura peculiar de conhecimento exato e imaginação ousada que me encantava, e conseguia até mesmo apagar gradualmente do rosto do professor seu sorriso cético e cínico enquanto o escutava. Ele contava a história do poderoso rio tão rapidamente explorado, pois alguns dos primeiros conquistadores do Peru, na verdade, atravessaram todo o continente em suas águas – e, ainda assim, tão desconhecido em relação a tudo o que estava por trás das margens em constante mudança.

– O que é aquilo? – ele questionava, apontando para o norte. – Florestas e pântanos, selva impenetrável. Quem sabe o que pode abrigar? E para o sul? Uma floresta pantanosa deserta, onde nenhum homem branco jamais esteve. O desconhecido está contra nós, por todos os lados. O que alguém sabe além das linhas estreitas dos rios? Quem dirá o que é possível existir nessa região? Por que o velho Challenger não poderia estar certo?

O Mundo Perdido

Com esse desafio direto, a teimosia desdenhosa do professor Summerlee reaparecia em seu rosto e ele se sentava, sacudindo a cabeça com ironia, em silêncio antipático, por trás da nuvem de seu cachimbo de raiz de roseira-brava.

Isso é tudo por enquanto, a respeito dos meus dois companheiros de pele branca, cujas personalidades e limitações serão melhor conhecidas, tão seguramente quanto as minhas, conforme esta narrativa prossegue. Mas já havíamos contratado certos ajudantes que talvez desempenhem um papel não sem alguma importância no que está para acontecer. O primeiro é um negro gigantesco chamado Zambo, que é um Hércules africano, com a mesma disposição e inteligência de um cavalo. Nós o contratamos no Pará, por recomendação da companhia de navios a vapor, em cujos barcos ele aprendera a falar um inglês insipiente.

Foi também no Pará que contratamos Gomez e Manuel, dois mestiços da parte alta do rio, que tinham acabado de descer com um carregamento de pau-brasil. Eles eram indivíduos de pele morena, barbudos e ferozes, tão ativos e vigorosos quanto onças. Os dois haviam passado a vida naquelas águas superiores do Amazonas que estávamos prestes a explorar e foi essa recomendação que fez com que lorde John os contratasse. Um deles, Gomez, tinha a vantagem adicional de falar um inglês excelente. Esses homens se dispuseram a fazer serviços como nossos criados pessoais, cozinhando, remando ou sendo úteis de qualquer maneira, pelo pagamento mensal de quinze dólares. Além desses, contratamos três índios da etnia *mojo* da Bolívia, que são os mais habilidosos na pesca e no trabalho de barco dentre todas as tribos do rio. Apelidamos o chefe deles de Mojo, por causa de sua tribo, e os outros são conhecidos como José e Fernando. Assim, três homens brancos, dois mestiços, um negro e três índios compunham o pessoal da pequena expedição que aguardava instruções em Manaus, antes de iniciar sua busca singular.

Finalmente, depois de uma semana cansativa, chegou o dia e a hora. Peço-lhe que imagine a sala de estar sombreada da Fazenda Santo Inácio, a três quilômetros da cidade de Manaus. Do lado de fora havia o brilho amarelo e escandaloso do sol, com as sombras das palmeiras tão negras e definidas como as próprias árvores. O ar estava calmo, cheio do zumbido permanente dos insetos, num coro tropical de muitas oitavas, desde o zunido profundo das abelhas ao assobio alto e agudo dos mosquitos. Além da varanda, havia um pequeno jardim bem cuidado, cercado por sebes de cactos e adornado com moitas de arbustos floridos, em volta dos quais grandes borboletas azuis esvoaçavam e minúsculos beija-flores cantarolavam, correndo em meio a cascatas de luzes cintilantes. Dentro, estávamos sentados em volta de uma mesa de bambu, sobre a qual havia um envelope lacrado. Inscrito nele, na caligrafia de garranchos do professor Challenger, liam-se as palavras: *Instruções para lorde John Roxton e sua equipe. Abrir em Manaus, no dia 15 de julho, exatamente às doze horas.*

Lorde John havia colocado o relógio sobre a mesa, diante de si.

– Temos mais sete minutos – ele disse. – O nosso velho amigo é muito exigente.

O professor Summerlee deu um sorriso azedo enquanto pegava o envelope com sua mão magra.

– O que pode importar se abrimos agora ou dentro de sete minutos? – ele disse. – Tudo faz parte e é parcela do mesmo sistema de charlatanismo e absurdo pelo qual, lamento dizer, o remetente é conhecido.

– Ora! Nós vamos, ou melhor, nós temos que jogar o jogo de acordo com as regras – lorde John disse. – É o show do velho Challenger e estamos aqui graças à sua boa vontade. Então, seria ruim se não seguíssemos suas instruções com todas as letras.

– Que belo negócio é esse! – gritou o professor, amargurado. – Pareceu-me absurdo em Londres, mas estou inclinado a dizer que parece ainda mais absurdo agora, assim em contato mais próximo. Não sei o que há dentro desse envelope, mas, a menos que seja algo bem definido, estarei muito tentado a pegar o próximo barco rio abaixo, para alcançar o *Bolívia* no Pará. Afinal, eu tenho coisas mais importantes a fazer no mundo do que tentar refutar as afirmações de um lunático. Agora, Roxton, com certeza está na hora.

– Já deu o tempo! – exclamou lorde John. – Você pode soprar o apito da largada.

Ele pegou o envelope, rasgou-o com o canivete e dali retirou uma folha de papel dobrada, que ele cuidadosamente abriu e esticou na mesa. Era uma folha em branco. Ele a virou e revirou. Mais uma vez, estava em branco. Olhamos uns para os outros, num silêncio perplexo, que foi quebrado pela explosão dissonante de uma gargalhada irônica do professor Summerlee.

– É uma confissão aberta! – ele exclamou. – O que mais vocês querem? O sujeito é um mentiroso confesso. Temos apenas que voltar para casa e denunciá-lo como o impostor descarado que ele é.

– Tinta invisível! – sugeri.

– Não acho! – discordou lorde Roxton, segurando o papel contra a luz. – Não, meu caro, não adianta se enganar. Posso apostar como nada jamais foi escrito nesse papel.

– Posso entrar? – uma voz gritou da varanda.

A sombra de uma figura atarracada roubou a luz do sol. Aquela voz! Aqueles ombros monstruosamente largos! Nós nos levantamos sobressaltados de espanto, quando Challenger, com um chapéu de palha redondo e juvenil com uma fita colorida, as mãos nos bolsos da jaqueta e os sapatos de lona impulsionando-o delicadamente enquanto ele caminhava, apareceu ao ar livre, no espaço diante de nós. Ele jogou a cabeça para trás e lá estava ele, brilhando de esplendor, com toda a luxúria assíria antiga de sua barba, com toda a sua insolência inata, de pálpebras caídas e olhos intolerantes.

– Temo – ele disse, consultando o relógio – que eu esteja alguns minutos atrasado. Quando lhes dei esse envelope, devo confessar que nunca tive a intenção de que vocês o abrissem, pois a minha ideia era estar com vocês antes. O infeliz atraso pode ser dividido entre um piloto errante e um banco de areia intruso. Temo que tenha dado ao meu colega, o professor Summerlee, uma bela ocasião para blasfemar.

– Sou levado a dizer, senhor – lorde John disse, com alguma gravidade na voz –, que a sua vinda é um alívio considerável para nós, pois a nossa missão parecia ter chegado a um fim prematuro, mas ainda assim, juro pela minha própria vida que não consigo entender por que você conduziu essa história de uma maneira tão extraordinária.

Em vez de responder, o professor Challenger entrou, apertou a minha mão e a de lorde John, curvou-se com desajeitada insolência diante do professor Summerlee e afundou-se em uma cadeira de vime, que rangeu e balançou sob seu peso.

– Está tudo pronto para a jornada? – ele perguntou.

– Podemos começar amanhã.

– Então vocês devem fazer isso. Vocês não precisam de nenhum mapa de instruções agora, já que terão a inestimável vantagem da minha orientação. Desde o começo eu tinha determinado que presidiria essa investigação. Os mapas mais elaborados, como vocês vão admitir prontamente, seriam substitutos muito pobres para a minha própria inteligência e o meu aconselhamento. Quanto à pequena peça que preguei em vocês na questão do envelope, está claro que, se eu lhes tivesse revelado todas as minhas intenções, teria sido forçado a resistir à pressão indesejável de viajar com vocês.

– Não da minha parte, senhor! – exclamou o professor Summerlee, cordialmente. – Enquanto houvesse outro navio no Atlântico.

Challenger ignorou-o com um gesto de sua grande mão peluda.

– Com certeza, o seu bom senso entenderá a minha objeção e perceberá que era melhor eu dirigir os meus próprios movimentos e que aparecesse apenas no momento exato, quando a minha presença fosse necessária. Esse momento chegou. Vocês estão em boas mãos. Agora, não deixarão de chegar ao seu destino. Daqui para a frente, assumo o comando dessa expedição e devo lhes pedir que completem os seus preparativos até a noite, para que possamos partir amanhã cedo. O meu tempo é valioso e a mesma coisa pode ser dita, sem dúvida, em um grau menor, para o de vocês. Proponho, portanto, que prossigamos o mais rápido possível, até que eu lhes tenha demonstrado aquilo que vocês vieram ver.

Lorde John Roxton havia fretado um grande barco a vapor, o *Esmeralda*, que deveria nos levar rio acima. Quanto ao clima, é irrelevante em relação ao horário que escolhemos para a nossa expedição, pois a temperatura varia de vinte e quatro a trinta e dois graus centígrados, tanto no verão como no inverno, sem diferença significativa de calor. Quanto à umidade, porém, é diferente, pois de dezembro a maio é o período das chuvas e durante esse tempo o rio sobe lentamente até atingir a altura de quase doze metros acima da marca mais baixa na régua de água, inundando as margens, estendendo-se em grandes lagunas ao longo de uma gigantesca extensão de território, chamado localmente de igapó, que em sua maior parte é pantanoso demais para viagens a pé e raso demais para se navegar de barco. Em meados de junho, as águas começam a baixar e atingem seu nível mais baixo em outubro ou novembro. Assim, a nossa expedição seria na época da estação seca, quando o grande rio e seus afluentes estariam mais ou menos em condições normais.

A correnteza do rio é fraca, a queda não ultrapassa oito polegadas por milha. Nenhum outro curso d'água poderia ser mais conveniente para a navegação, já que o vento predominante sopra de sudeste e os barcos a vela podem progredir continuamente até a fronteira peruana, voltando depois com a corrente. Em nosso caso, os excelentes motores do *Esmeralda* podiam desconsiderar o fluxo lento da corrente e fizemos um bom progresso, navegando tão rápido quanto se estivéssemos em um lago estagnado. Durante três dias navegamos para o norte, em direção ao oeste, por uma correnteza que mesmo aqui, a mais de mil quilômetros da foz, ainda era tão imensa que, do centro, as duas margens eram meras sombras na distante linha do horizonte. No quarto dia depois de sairmos de Manaus, entramos num afluente que, na sua foz, era pouco menor que a correnteza principal. Contudo, ele se estreitou rapidamente e, depois de mais dois dias de navegação a vapor, chegamos a uma aldeia indígena, onde o professor insistiu para que desembarcássemos e que o *Esmeralda* fosse enviado de volta para Manaus, pois ele explicou que em breve devíamos chegar a corredeiras, o que tornaria impossível seu uso posterior. Acrescentou, confidencialmente, que agora estávamos nos aproximando da entrada da região desconhecida e que quanto menos gente tivéssemos em nossa confiança, melhor seria. Para esse fim também ele fez cada um de nós dar a nossa palavra de honra que não publicaríamos e nem diríamos nada que pudesse dar qualquer pista clara sobre o paradeiro da nossa viagem, enquanto os ajudantes juraram solenemente com o mesmo propósito. É por essa razão que sou compelido a ser vago em minha narrativa e gostaria de advertir os meus leitores de que qualquer mapa ou diagrama, em que eu possa dar a relação dos lugares de um para o outro, pode estar correto, mas os pontos da bússola estarão cuidadosamente confundidos, de modo que não possam ser tomados como guia real da região. As razões do professor Challenger para manter o sigilo podem ser válidas ou não, mas não tivemos escolha senão adotá-las, pois ele estava disposto a abandonar toda a expedição, em vez de modificar as condições sob as quais nos guiaria.

Era o dia 2 de agosto, quando rompemos o nosso último elo com o mundo exterior, ao nos despedirmos do *Esmeralda*. Desde então, passaram-se quatro dias, durante os quais contratamos duas grandes canoas dos índios, feitas de um material tão leve (couro de animais sobre uma estrutura de bambu) que poderiam ser carregadas por cima de qualquer obstáculo. Nelas levamos todos os nossos equipamentos, e contratamos dois outros indígenas para nos ajudarem na navegação. Pelo que entendi, eles eram exatamente os dois sujeitos – de nomes Ataca e Ipetu – que acompanharam o professor Challenger em sua jornada anterior. Eles pareciam estar apavorados com a perspectiva de repeti-la, mas os chefes têm poderes patriarcais nessas regiões e se a barganha for boa aos olhos deles o membro da tribo tem pouca escolha sobre o assunto.

Então, amanhã nós desapareceremos no desconhecido. Estou transmitindo este relato rio abaixo por canoa e pode ser a nossa última palavra para aqueles que estão interessados em nosso destino. De acordo com o combinado, estou endereçando a você, meu caro senhor McArdle, e deixo a seu critério excluir, alterar ou fazer o que quiser com isso. Pela segurança das atitudes do professor Challenger e apesar do ceticismo contínuo do professor Summerlee, não tenho dúvidas de que o nosso líder comprovará suas afirmações e de que estamos realmente às vésperas de algumas experiências das mais notáveis.

Nas fronteiras do Mundo Perdido

Os nossos amigos na Inglaterra podem se alegrar, pois alcançamos o nosso objetivo e até certo ponto, pelo menos, mostramos que a declaração do professor Challenger pode ser comprovada. É verdade que ainda não subimos ao platô, mas ele está diante de nós e até mesmo o professor Summerlee está com o humor mais moderado. Não que ele admita, por um instante sequer, que seu rival possa estar certo, mas é menos persistente em suas objeções incessantes e, na maior parte do tempo, permanece imerso num silêncio observador. Devo voltar atrás, porém, para continuar a minha narrativa a partir do ponto em que a interrompi. Estamos enviando de volta para casa um dos nossos índios locais que está ferido, a quem confio esta carta, com sérias dúvidas sobre se algum dia ela chegará às mãos do destinatário.

Quando escrevi a carta anterior, estávamos prestes a deixar a aldeia indígena onde havíamos sido levados pelo *Esmeralda*. Tenho que começar o meu relato com más notícias, pois o primeiro problema sério (e eu ignoro as incessantes disputas entre os professores) ocorreu esta noite e poderia ter tido um final trágico. Já mencionei o mestiço Gomez, que fala inglês. Ele é um excelente trabalhador, um sujeito sempre disposto, mas acometido, imagino, pelo vício da curiosidade, que é bastante comum entre esses homens. Na última noite, ele se escondeu perto da cabana em que estávamos discutindo os nossos planos. Ao ser flagrado por nosso gigante negro Zambo, que é fiel como um cão e tem todo o ódio que seu povo carrega contra os mestiços, Gomez foi arrastado de onde estava e levado à nossa presença. Ele, porém, pegou sua faca e se não fosse a enorme força de seu captor, que conseguiu desarmá-lo com uma só mão, certamente o teria esfaqueado. O assunto terminou em reprimendas e os adversários foram forçados a apertarem as mãos. Acreditamos que tudo esteja bem. Quanto às brigas entre os dois sábios, elas são contínuas e amargas. Tenho que admitir que Challenger é provocativo no mais alto grau, mas Summerlee tem a língua afiada, o que só piora as coisas. Ontem à noite, Challenger disse que jamais se importou em andar pelo aterro do Tâmisa – o Embankment – para olhar o rio, pois é sempre triste alguém ver a sua própria morada final, já que ele está convencido, claro, que é seu destino ser enterrado na abadia de Westminster. Summerlee retrucou, porém, com um sorriso irônico, dizendo que, pelo que sabia, a prisão de Millbank havia sido demolida. Mas a vaidade do Challenger é colossal demais para permitir que realmente se aborreça. Apenas sorriu atrás de sua barba, repetindo "Realmente! Realmente!", no tom compassivo que alguém usaria com uma criança. Na verdade, ambos são como crianças: um magrelo e rabugento, o outro formidável e arrogante, mas cada um com um cérebro privilegiado, que o colocou na linha de frente da geração de cientistas de que fazem parte. Cérebro, caráter, alma: só quando alguém conhece mais da vida sabe como cada um é diferente.

No dia seguinte, começamos de fato a fazer a nossa notável expedição. Descobrimos que todos os nossos equipamentos cabiam com facilidade nas duas canoas e dividimos o nosso pessoal, seis em cada uma, tomando a precaução óbvia no interesse da paz comum de colocar um professor em cada canoa. Pessoalmente, eu fiquei com Challenger, que estava de bom humor, agindo como se estivesse num êxtase silencioso e irradiando benevolência por todos os lados, mas eu tenho alguma experiência com ele em outros estados de espírito e não ficarei muito surpreso quando as tempestades subitamente aparecerem em meio à luz do dia. Se é impossível ficar à vontade, também é igualmente impossível sentir aborrecimento em sua companhia, pois você fica sempre em dúvida, receoso de uma virada repentina que seu temperamento formidável pode ter.

Durante dois dias, subimos um rio de bom tamanho, com centenas de metros de largura, com água de cor escura, mas transparente, de modo que se podia ver o fundo. Os afluentes do Amazonas são, metade deles, dessa natureza, enquanto a outra metade é esbranquiçada e opaca, com diferenças dependendo do tipo de região por onde eles fluem. A cor escura indica vegetação apodrecida, enquanto a esbranquiçada aponta para solo argiloso. Duas vezes nos deparamos com corredeiras e, nos dois casos, tivemos que fazer um desvio por terra para transpô-las.

As matas de ambos os lados eram jovens, sendo mais fáceis de penetrar do que as florestas mais antigas, e não tivemos grande dificuldade em levar nossas canoas por elas. Como vou esquecer o mistério solene desse ambiente? A altura das árvores e a espessura dos troncos excediam tudo o que eu poderia imaginar na minha vida de morador de cidade, projetando-se para cima em colunas magníficas até que, a uma distância enorme sobre nossas cabeças, podíamos discernir vagamente o local onde elas abriam seus galhos laterais em curvas góticas ascendentes, que se aglutinavam para formar um grande teto emaranhado de verdor, através do qual apenas um ocasional raio dourado de sol passava para traçar a fina linha de um raio de luz deslumbrante em meio à majestosa escuridão.

Enquanto caminhávamos procurando não fazer nenhum barulho em meio ao espesso e macio tapete de vegetais em decomposição, o silêncio que caiu sobre as nossas almas era o mesmo que se abatia sobre nós durante o crepúsculo na abadia de Westminster e até o modo do professor Challenger se expressar, de peito cheio, reduziu-se a um sussurro. Se estivesse sozinho, eu jamais tomaria conhecimento dos nomes daquelas plantas gigantescas, mas os nossos cientistas foram destacando os cedros, as grandes paineiras e as sequoias, com toda a profusão dessa flora que torna esse continente o principal provedor para a raça humana dos presentes da natureza que dependem do mundo vegetal, enquanto é o mais atrasado nos produtos que vêm da vida animal. Orquídeas deslumbrantes e liquens dos mais maravilhosos matizes coloridos resplandeciam nos troncos escurecidos das árvores e onde um raio de luz errante caía sobre as alamandas douradas, os aglomerados escarlates das tacsônias, ou o rico azul-escuro das ipomoeas, o efeito era de um sonho em um mundo de fadas.

Nessas grandes florestas desertas, a vida, que abomina a escuridão, luta sempre para cima, em busca da luz. Cada planta, mesmo as menores, enrola-se e se contorce na superfície verde, enroscando-se em torno de suas irmãs mais fortes e mais altas nesse esforço. As trepadeiras são monstruosas e luxuriantes, mas outras que jamais foram conhecidas por subir em outros lugares, aprendem essa arte como uma fuga dessas sombras escuras, de modo que a urtiga comum, o jasmim e até as palmeiras jacitaras podem ser vistos envolvendo caules de cedros e se esforçando para alcançar suas copas.

Da vida animal, não havia movimento perceptível em meio aos majestosos corredores abobadados que se estendiam à nossa frente enquanto caminhávamos. Mas a agitação constante bem acima de nossas cabeças nos dizia muito daquele mundo de cobras, macacos, pássaros e preguiças, que viviam sob o sol e que pareciam ficar maravilhados com as nossas pequenas e difusas imagens, tropeçando nas escuras e enormes profundezas abaixo delas. No início e fim do dia, os macacos-uivadores gritavam juntos e os papagaios começavam a tagarelar estridentemente, mas durante as horas quentes, apenas o zumbido ensurdecedor dos insetos enchia os ouvidos, como o ronco de uma ressaca distante no rio, embora nada se movesse no meio dos vislumbres solenes dos troncos estupendos, desaparecendo na escuridão que nos envolvia. Uma vez, alguma criatura de pernas tortas, cambaleantes, algum tamanduá ou um urso, correu desajeitado em meio às sombras. Foi o único sinal de vida terrena que vi nessa grande floresta amazônica. E, no entanto, havia indícios de que até mesmo a própria vida humana não estava longe de nós naqueles recantos misteriosos.

No terceiro dia, percebemos uma pulsação profunda e singular, ritmada e solene, que ia e vinha intermitente no ar, pela manhã. Os dois barcos estavam sendo remados a poucos metros um do outro quando escutamos pela primeira vez esse barulho. Os índios permaneceram imóveis, como se tivessem sido transformados em estátuas de bronze, ouvindo atentamente, com expressões de terror em seus rostos.

– Então, o que é isso? – perguntei.

– Tambores... – lorde John disse, despreocupado. – Tambores de guerra, já ouvi antes.

– Sim, senhor, tambores de guerra – Gomez, o mestiço confirmou.
– Índios selvagens, bravos, que não são mansos. Eles observam cada milha do caminho e nos matam se puderem.

– Como eles podem nos observar? – indaguei, olhando para o vazio escuro e imóvel.

O mestiço encolheu os ombros largos.

– Os índios sabem como fazer isso. Eles têm seu próprio jeito. Eles nos observam. Eles conversam uns com os outros pelos tambores. Se puderem, eles nos matam.

Na tarde daquele dia, que a minha agenda de bolso me mostrou ser terça-feira, 18 de agosto, pelo menos seis ou sete tambores soavam de vários pontos. Às vezes batiam rápido, às vezes devagar, às vezes obviamente em perguntas e respostas. Um tocou bem distante, a leste, como um chocalho alto e foi seguindo, logo após uma pausa, por um toque profundo vindo do norte. Havia algo indescritivelmente nervoso e ameaçador nesse murmúrio constante, que parecia moldar-se nas próprias sílabas do mestiço, repetindo incessantemente: "Nós vamos matar vocês, se pudermos. Nós vamos matar vocês, se pudermos". Ninguém se mexia na floresta silenciosa. Toda paz e tranquilidade da natureza quieta jazia naquela cortina escura de vegetação, mas longe na distância, vinha sempre a mesma e única mensagem dos nossos semelhantes. "Nós vamos matar vocês, se pudermos", diziam os homens a leste. "Nós vamos matar vocês, se pudermos", diziam os homens ao norte.

Durante todo o dia o batuque roncou e sussurrou, enquanto a ameaça se refletia no rosto dos nossos companheiros locais. Até o mestiço robusto e arrogante parecia intimidado. Naquele dia, porém, aprendi de uma vez por todas, que tanto Summerlee como Challenger possuíam uma bravura de um tipo superior: a bravura da mente científica. Era o mesmo estado de espírito que havia sustentado Darwin entre os gaúchos da Argentina, ou Wallace entre os caçadores de cabeças da Malásia. A natureza misericordiosa havia decretado que o cérebro humano não pode pensar em duas coisas ao mesmo tempo, de modo que, quando está mergulhado na curiosidade em relação à ciência, não há espaço para considerações meramente pessoais. O dia todo, em meio àquela ameaça incessante e misteriosa, os nossos dois professores observaram o voo de cada pássaro e cada arbusto na margem, com muitas palavras contundentes quando o grunhido do Summerlee respondia rápido ao profundo rosnado do Challenger, mas sem qualquer outra sensação de perigo, sem mais nenhuma referência aos índios que batiam os tambores, do que se eles estivessem sentados juntos na sala para fumantes do clube da Royal Society, na rua St. James. Só uma vez eles concordaram em discutir a respeito deles.

– São canibais miranhas ou amajuacas – Challenger disse, sacudindo o polegar em direção à floresta que reverberava.

– Sem dúvida, senhor – respondeu Summerlee. – Como todas essas tribos, espero encontrá-las de fala polissintética e tipo mongol.

– Polissintéticas, com certeza – Challenger concordou, condescendente. – Não estou ciente de que exista qualquer outro tipo de linguagem nesse continente, e tenho anotações de mais de uma centena delas. Quanto à teoria da origem mongol, vejo-a com profunda desconfiança.

– Eu pensava que mesmo um conhecimento limitado de anatomia comparada ajudaria a verificar isso – Summerlee comentou, irritado.

Challenger ergueu o queixo agressivo até a barba ficar quase na altura da aba do chapéu.

– Sem dúvida, senhor, um conhecimento limitado teria esse efeito, mas quando o conhecimento é aprofundado, chegamos a outras conclusões.

Eles olharam um para o outro em desafio mútuo, ao passo que de tudo ao redor parecia brotar aquele sussurro distante: "Nós vamos matar vocês", "Nós vamos matar vocês, se pudermos".

Naquela noite, amarramos as nossas canoas em pedras pesadas, que foram ancoradas no centro do rio e fizemos todos os preparativos para um possível ataque, mas nada aconteceu. Ao amanhecer, quando retomamos o nosso caminho, o ronco dos tambores foi desaparecendo atrás de nós. Por volta das três da tarde, chegamos a uma corredeira muito íngreme, com mais de um quilômetro de extensão, a mesma na qual o professor Challenger sofreu um desastre em sua primeira viagem. Confesso que essa visão me consolou, pois era realmente a primeira confirmação direta, por mais fugaz que fosse, da veracidade da história dele. Os índios carregaram primeiro as nossas canoas e depois nossos equipamentos pelo matagal, que é muito denso neste ponto, enquanto nós, quatro homens brancos, com os nossos rifles nos ombros, caminhávamos entre eles, vigiando qualquer perigo que viesse da floresta. Antes do anoitecer, passamos com sucesso pelas corredeiras e seguimos nosso caminho uns três quilômetros acima delas, onde ancoramos à noite. A essa altura, calculei que estávamos a pelo menos dezesseis quilômetros do afluente do rio principal.

Foi no início da manhã do dia seguinte que iniciamos a nossa grande partida. Desde a madrugada, o professor Challenger andava bastante inquieto, examinando continuamente cada margem do rio. De repente, ele soltou uma exclamação de contentamento e apontou para uma única árvore, que se projetava em um ângulo peculiar sobre a lateral do rio.

– O que acham disso? – ele perguntou.

– É certamente uma palmeira açaí – Summerlee respondeu.

– Exatamente. Foi uma palmeira açaí que eu escolhi como marco. A entrada secreta fica cerca de meio quilômetro adiante, do outro lado do rio, mas não existe nenhuma brecha entre as árvores. Essa é a maravilha e o mistério dela. No lugar onde vocês veem bambus verde-claros em vez de arbustos verde-escuros, entre grandes paineiras, é que está o meu portal particular para o desconhecido. Atravessem e vocês entenderão.

Era realmente um local maravilhoso. Tendo chegado ao ponto marcado por uma linha de bambus verde-claros, nós passamos as duas canoas por algumas centenas de metros e, finalmente, emergimos num riacho calmo e raso, que corria claro e transparente sobre um fundo arenoso. Poderia ter uns vinte metros de largura e estava cercado em cada lado pela vegetação mais luxuriante. Ninguém que não tivesse observado a uma curta distância que os bambus haviam tomado o lugar dos arbustos poderia adivinhar a existência desse riacho ou sonhar com o reino das fadas adiante dele.

Como um país mágico, era o mais maravilhoso que a imaginação humana poderia conceber. A vegetação densa se encontrava por cima, entrelaçando-se para formar uma galeria natural. Através desse túnel verdejante, sob a claridade de um crepúsculo dourado, o rio fluía cristalino, transparente, belo por si mesmo, mas ainda mais maravilhoso pelas estranhas cores lançadas pela claridade viva filtrada no alto e suavizada enquanto caía. Claro como cristal, imóvel como uma folha de vidro, verde como a borda de um iceberg, estendia-se diante de nós sob o arco arborizado. Cada batida dos remos enviava mil ondulações através de sua superfície brilhante. Era uma via adequada a uma terra de maravilhas. Todos os sinais dos índios haviam desaparecido, mas a vida animal era mais frequente e a mansidão das criaturas mostrava que elas nada sabiam sobre caçadores. Pequenos macacos de pelo encrespado, parecendo veludo negro, com dentes brancos como a neve e olhos brilhantes e zombeteiros tagarelavam conosco conforme passávamos. Como um resquício surdo e pesado, um jacaré eventualmente mergulhava da margem. Certa vez, uma anta negra e desajeitada nos encarou de um buraco no meio dos arbustos e depois rastejou pela floresta. Outra vez, a silhueta amarela e sinuosa de um grande puma se projetava do mato, com seus olhos verdes e sinistros de ódio olhando para nós por cima do dorso leonino. Os pássaros eram abundantes, especialmente as aves pernaltas. Cegonhas, garças e íbis se reuniam em pequenos grupos, azuis, escarlates e brancos, sobre cada tronco que se projetava da margem, ao passo que embaixo de nós a água cristalina estava viva de peixes de todas as formas e cores.

Durante três dias seguimos caminho pelas brumas desse túnel verdejante, matizado pela luz do sol. Nos trechos mais longos, quando se olhava para a frente, mal se podia dizer onde a água verde distante terminava e onde começava a longínqua passagem verde. A paz profunda dessa estranha via navegável não havia sido quebrada por nenhum vestígio humano.

– Não há nenhum índio aqui. Eles têm medo demais do curupira – Gomez falou.

– Curupira é o espírito da floresta – lorde John explicou. – É o nome para qualquer tipo de demônio. Os pobres coitados acham que existe algo temível nessa direção e, portanto, evitam segui-la.

No terceiro dia, tornou-se evidente que a nossa jornada nas canoas não duraria muito mais, pois o riacho estava se tornando cada vez mais raso. Por duas vezes em poucas horas roçamos o fundo. Finalmente, puxamos os barcos para o meio do mato e passamos a noite na margem do rio. De manhã, lorde John e eu fizemos nosso caminho seguindo alguns quilômetros pela floresta, mantendo-nos em paralelo ao córrego, mas à medida que este se tornava cada vez mais raso, retornávamos e relatávamos o que o professor Challenger já suspeitava: que havíamos atingido o ponto mais alto pelo qual as canoas podiam ser levadas. Assim, nós as arrastamos e as escondemos entre os arbustos, marcando uma árvore com os nossos machados, para que pudéssemos encontrá-las novamente. Depois, distribuímos os vários fardos entre nós, com armas, munições, comida, uma tenda, cobertores e o resto, e, carregando nossos pacotes, partimos para a etapa mais árdua da jornada.

Uma briga infeliz entre os nossos dois mestres de espírito ardido feito pimenta marcou o início da nova fase. A partir do momento que se juntou a nós, Challenger passou a dar instruções para toda a turma, para evidente descontentamento de Summerlee. Então, quando ele atribuiu alguma tarefa qualquer ao seu colega professor (que transportava apenas um barômetro aneroide), a questão de repente atingiu o auge.

– Posso lhe perguntar, senhor – Summerlee disse, com uma calma rancorosa –, com que autoridade você se arroga o direito de dar essas ordens?

Challenger ficou todo eriçado, soltando fogo pelos olhos.

– Faço isso, professor Summerlee, como líder dessa expedição.

– Sou obrigado a lhe dizer, senhor, que não reconheço essa autoridade.

– De fato! – Challenger fez uma reverência com sarcasmo desajeitado. – Talvez você queira definir minha exata posição.

– Sim, senhor. Você é um homem cuja veracidade está sendo questionada e esta comissão está aqui para verificar. Você anda, senhor, na companhia dos seus juízes.

– Deus do céu! – Challenger disse, sentando-se ao lado de uma canoa. Nesse caso, você irá, é claro, seguir em frente e eu vou desfrutar do meu tempo livre. Se eu não sou o líder, não espere que eu lidere.

Graças a Deus, havia dois homens sensatos, lorde John Roxton e eu, para evitar que a petulância e a tolice de nossos ilustres professores nos mandassem de volta de mãos vazias para Londres, e como tivemos que argumentar, debater e explicar antes que pudéssemos acalmá-los! Por fim, Summerlee, com seu sorriso debochado e seu cachimbo, saiu na frente. Challenger seguiu atrás dele, capengando e resmungando. Por sorte, descobrimos dessa vez que os nossos dois sábios compartilhavam da mesma opinião (pouco elogiosa) sobre o doutor Illingworth, de Edimburgo. Daí em diante, isso se tornou a nossa única garantia de segurança, e toda situação tensa era aliviada com a introdução do nome do zoólogo escocês, quando nossos dois professores formavam uma aliança temporária e amistosa através dos insultos e da execração desse rival comum.

Avançando em fila indiana ao longo da margem do riacho, logo descobrimos que se reduzia a um mero regato que, por fim, se perdia num grande pântano verde de musgos esponjosos, no qual nos afundamos até os joelhos. O lugar era terrivelmente assombrado por nuvens de mosquitos e por todas as espécies de pragas voadoras, por isso ficamos felizes quando encontramos terra firme novamente. Contornando as árvores, conseguimos flanquear esse pântano pestilento, que zumbia feito um órgão de tubos a distância, tão ruidosa era a atividade dos insetos.

No segundo dia depois de deixarmos as nossas canoas, descobrimos que todas as características da região haviam mudado. A nossa rota seguia persistentemente para cima e, à medida que subíamos, a mata se tornava mais fina e perdia sua luxúria tropical. As imensas árvores da planície aluvial da Amazônia davam lugar às palmeiras Fênix e aos coqueiros, que cresciam em pequenos bosques espalhados, com arbustos espessos entre eles. Nos recantos mais úmidos, as palmeiras Mauritia abriam suas graciosas copas de folhas caídas. Viajávamos inteiramente pela bússola e, uma ou duas vezes, houve diferenças de opinião entre Challenger e os dois indígenas, quando, para citar as palavras indignadas do professor, o grupo inteiro concordou em "confiar nos instintos falaciosos de selvagens subdesenvolvidos e não no produto mais alto de cultura europeia moderna". O acerto de termos feito isso se justificou no terceiro dia, quando Challenger admitiu ter reconhecido vários marcos de sua viagem anterior e, em determinado ponto, encontramos três pedras enegrecidas pelo fogo, que testemunhavam que ali havia sido um local de acampamento.

A rota ainda subia e atravessamos uma encosta rochosa que demorou dois dias para ser percorrida. A vegetação havia mudado de novo, e só restavam árvores de marfim vegetal, com uma fartura de maravilhosas orquídeas, entre as quais aprendi a reconhecer a rara *Nuttonia Vexillaria* e as gloriosas flores cor-de-rosa e escarlate de catleia e *Odontoglossum*. Riachos ocasionais com fundos de cascalho e margens cobertas de samambaia borbulhavam pelos desfiladeiros rasos da colina e ofereciam boas áreas para acampar todas as noites à beira de alguma piscina repleta de pedras, onde cardumes de pequenos peixes de dorso azul, do tamanho e da forma da truta inglesa, nos davam uma ceia deliciosa.

No nono dia depois de deixarmos as canoas, tendo percorrido, pelo que calculei, cerca de cento e noventa quilômetros, começamos a emergir das árvores, que foram se tornando menores até virarem meros arbustos. O lugar delas era ocupado por uma imensa selva de bambus, que cresciam tão densamente que só podíamos penetrá-los abrindo caminho com os facões e as foices dos índios. Levamos um longo dia, viajando das sete da manhã às oito da noite, com apenas dois intervalos de uma hora cada, para superar esse obstáculo. Qualquer coisa mais monótona e cansativa não poderia ser imaginada, pois, mesmo nos lugares mais abertos, eu não conseguia enxergar mais do que dez ou doze metros, pois normalmente minha visão se limitava às costas da jaqueta de algodão de lorde John à minha frente e à parede amarelada do bambuzal que nos flanqueava, a um metro de mim, de ambos os lados. Do alto vinha uma ponta de luz do sol, fina como a lâmina de uma faca e, quatro metros e meio acima de nossas cabeças, via-se o topo do bambuzal balançando no céu azul profundo. Eu não sei que tipo de criaturas habitavam esse matagal, mas várias vezes escutamos o mergulho de animais grandes e pesados bem perto de nós. Pelo ruído, lorde John julgou que eles eram algum tipo de rebanho selvagem. Ao cair da noite, saímos do cinturão de bambus e, de uma só vez, montamos o nosso acampamento, exaustos pelo dia interminável.

No início da manhã seguinte, estávamos já de pé e descobrimos que as características da região haviam mudado mais uma vez. Atrás de nós, ficava a parede de bambu, tão definida como se marcasse o curso de um rio. Na frente, havia uma planície aberta, ligeiramente inclinada para cima, pontilhada de bosques de samambaias, com o cenário se curvando diante de nós até terminar numa longa crista em forma de dorso de baleia. Chegamos ao meio-dia, mas encontramos um vale raso pela frente, que subia de novo em suave inclinação até uma linha baixa e arredondada no horizonte. Foi ali, quando atravessamos a primeira dessas colinas, que ocorreu um incidente que pode ou não ter sido importante.

O professor Challenger, que com os dois índios locais estava na vanguarda da equipe, parou de repente e apontou muito animado para a direita. Quando olhamos naquela direção, vimos mais ou menos a um quilômetro algo que parecia ser um imenso pássaro cinza que se erguia lentamente do chão e deslizava suavemente, voando muito baixo e reto, até se perder entre as samambaias.

– Vocês viram isso? – Challenger gritou, faceiro. – Summerlee, você viu?

Ele estava olhando para o local onde a criatura havia desaparecido.

– O que você disse que era? – Summerlee perguntou.

– Na minha opinião, um pterodátilo.

Summerlee explodiu em riso irônico.

– Um pterodesaforo! – ele disse. – Era uma cegonha, se é que eu vi alguma coisa.

Challenger estava furioso demais para falar. Ele simplesmente colocou a mochila nas costas novamente e continuou sua marcha. Lorde John se aproximou de mim, porém com o rosto mais sério do que de costume. Ele estava com seu binóculo Zeiss na mão.

– Eu enfoquei o pássaro antes que ele chegasse ao bosque – ele disse. – Não vou me comprometer a dizer o que era, mas posso arriscar a minha reputação de esportista de que não era nenhuma ave que eu já tenha avistado na minha vida.

E assim, esse assunto morreu. Será que realmente estamos à beira do desconhecido, nas fronteiras do mundo perdido de que fala o nosso líder? Contei o incidente como ocorreu e vocês sabem tanto quanto eu. Foi só isso, pois não vimos mais nada que pudesse ser considerado digno de nota.

E agora, meus caros leitores, se eu tiver algum, trouxe vocês comigo até o grande rio. Atravessamos a linha de bambus, penetramos no túnel verdejante, subimos o longo declive de palmeiras, cruzamos o bambuzal e percorremos a planície de samambaias. Por fim, o nosso destino estava totalmente à nossa frente. Quando cruzamos a segunda cordilheira, vimos diante de nós uma planície irregular, cheia de palmeiras e depois a linha de altos penhascos vermelhos que eu vi no desenho. Ela está ali ainda enquanto escrevo e não há dúvidas de que é a mesma.

No ponto mais próximo, que fica a cerca de onze quilômetros de nosso acampamento atual, ela se curva, estendendo-se até onde consigo enxergar. Challenger se exibe feito um pavão premiado e Summerlee fica em silêncio, mas ainda está cético. Mais um dia e algumas das nossas dúvidas terão um fim. Enquanto isso, como José, cujo braço foi perfurado por um bambu quebrado, insiste em retornar, envio essa carta de volta com ele e só espero que possa chegar às mãos do destinatário. Escreverei novamente quando a ocasião for propícia. Incluo um mapa grosseiro da nossa jornada, que talvez ajude o relato a se tornar mais fácil de ser entendido.

Quem poderia prever algo assim?

Uma coisa horrível aconteceu conosco. Quem poderia prever algo assim? Eu não consigo imaginar o final dos nossos problemas. Será que estamos condenados a passar o resto das nossas vidas nesse lugar estranho e inacessível? Ainda estou tão confuso que mal posso pensar nos fatos presentes ou nas chances futuras. Para os meus sentidos perplexos, os fatos presentes parecem terríveis demais e as chances futuras, tão obscuras como a noite.

Nenhum homem jamais se viu em situação pior, e de nada serviria divulgar a vocês a nossa localização exata para que enviem uma equipe de socorro. Mesmo se vocês pudessem enviá-la, a nossa sina, com toda probabilidade humana, estaria selada muito antes de a ajuda chegar à América do Sul.

Na verdade, estamos tão longe de qualquer apoio humano como se estivéssemos na Lua. Se quisermos superar isso, somente as nossas próprias capacidades poderão nos salvar. Tenho como companheiros três homens notáveis, homens de grande poder intelectual e de coragem inabalável. Nisso reside a nossa única esperança. É só quando olho para os rostos despreocupados dos meus companheiros que vejo alguma luz na escuridão, mas, internamente, estou tremendamente apreensivo.

Deixe-me dar a vocês, com o máximo de detalhes possível, a sequência de eventos que nos levou a essa catástrofe.

Quando terminei a minha última carta, afirmei que estávamos a cerca de onze quilômetros de uma enorme linha de rochedos avermelhados que cercavam, sem sombra de dúvida, o platô de que o professor Challenger falava. A altura deles, quando nos aproximamos, pareceu-me em alguns lugares maior do que ele havia afirmado, subindo em algumas partes a pelo menos trezentos metros, e eram curiosamente estriados, de um jeito, creio eu, característico dos derrames basálticos. Algo desse tipo pode ser visto nos penhascos de Salisbury Crags, em Edimburgo. O cume mostrava todos os sinais de uma vegetação luxuriante, com arbustos perto da borda e, mais atrás, muitas árvores altas. Não havia qualquer indício de vida que pudéssemos ver.

Naquela noite, montamos o nosso acampamento bem na base do penhasco, um local completamente selvagem e desolado. Os penhascos acima de nós não eram apenas perpendiculares, mas curvos para o lado externo no topo, de modo que a escalada por ali estava fora de cogitação. Perto de nós ficava o pináculo de rocha alto e fino que, acredito, mencionei antes nesta narrativa. É como se fosse uma grande torre vermelha de igreja, a parte superior estando nivelada com o platô, mas havendo um grande abismo entre ambos. Em seu topo, crescia uma árvore alta. O pináculo e o penhasco eram comparativamente baixos, acho que de uns cento e cinquenta a cento e oitenta metros.

– Era ali – disse o professor Challenger, apontando para essa árvore – que o meu pterodátilo estava empoleirado. – Subi a rocha até a metade do caminho, antes de atirar nele. Estou inclinado a pensar que um bom alpinista como eu poderia escalar a rocha até o topo, embora, é claro, não fosse ficar mais perto do platô ao chegar.

Enquanto Challenger falava do "seu" pterodátilo, olhei para o professor Summerlee e, pela primeira vez, pareci ver nele alguns sinais de crescente credulidade e arrependimento. Não havia escárnio em seus lábios finos, mas, ao contrário, uma expressão forçada, sem graça, de excitação e assombro. Challenger também viu e se deliciou com esse primeiro gosto de vitória.

– É claro que o professor Summerlee vai entender que quando falo de um pterodátilo, quero dizer uma cegonha – ele disse, com seu sarcasmo desajeitado e pesado. – Só que é um tipo de cegonha especial, que não tem penas, mas uma pele de couro, asas membranosas e dentes em suas mandíbulas.

Ele sorriu, piscou e se curvou, até seu colega dar meia-volta e se afastar.

De manhã, depois de um café da manhã frugal, composto de café e mandioca – tínhamos que ser econômicos com nossos mantimentos –, realizamos uma reunião estratégica para definir o melhor método de escalar até o platô acima de nós.

Challenger presidia essa reunião com solenidade, como se fosse o lorde presidente da Suprema Corte. Tentem imaginá-lo sentado numa pedra, com seu absurdo chapéu infantil de palha caindo para trás da cabeça, seus olhos arrogantes dominando-nos sob as pálpebras caídas, a grande barba preta abanando enquanto ele definia lentamente a nossa situação atual e os nossos movimentos futuros.

Abaixo dele, podíamos ser vistos os três: eu, jovem e vigoroso, bronzeado depois da nossa caminhada ao ar livre; Summerlee, solene, mas ainda crítico, atrás de seu indefectível cachimbo; e lorde John, tão afiado como uma navalha, com sua figura flexível e alerta apoiada no rifle, e seus olhos ansiosos, avidamente fixados no orador. Atrás de nós estavam agrupados os dois mestiços e o pequeno grupo de índios, enquanto na frente e acima de nós se elevavam as enormes e avermelhadas encostas de pedras que nos impediam de atingir nosso objetivo.

– Não preciso dizer – disse o nosso líder –, que na ocasião da minha última visita esgotei todos os meios de escalar o penhasco e, onde falhei, não creio que alguém mais tenha sucesso, pois eu sou um ótimo montanhista. Naquele momento, não tinha nenhum equipamento de escalada comigo, mas tomei a precaução de trazê-lo agora. Com a ajuda desses acessórios, tenho certeza de que poderia escalar esse pináculo separado até o cume, mas a tentativa dessa escalada será em vão enquanto não conseguirmos superar a saliência principal que se projeta acima dela. Na minha última visita, tive que me apressar pela aproximação da estação chuvosa e porque os meus suprimentos estavam se esgotando. Estas considerações limitaram o meu tempo, e eu só posso afirmar que pesquisei o penhasco cerca de nove quilômetros a leste de nós, não encontrando nenhum caminho viável. Então, o que faremos agora?

– Parece haver apenas uma solução razoável – argumentou o professor Summerlee. – Se você explorou para leste, deveríamos seguir ao longo da base do penhasco para oeste, procurando um ponto praticável para a nossa subida.

– É isso – lorde John disse. – As chances são de que esse platô não seja grande e poderemos contorná-lo até encontrarmos um caminho fácil, ou voltar ao ponto de onde começamos.

– Eu já expliquei para o nosso jovem aqui – Challenger disse (ele tem essa mania de se referir a mim como se eu fosse uma criança em idade escolar) – que é completamente impossível existir algum caminho fácil para cima em qualquer lugar, pela simples razão de que se houvesse, o cume não ficaria isolado e não se obteriam as condições para uma interferência tão singular nas leis gerais da sobrevivência. Entretanto, admito facilmente que possam existir locais onde um alpinista humano habilidoso conseguiria alcançar o cume, mas por onde um animal pesado e desengonçado não seria capaz de descer. É certo existir um ponto em que a subida seja possível.

– Como sabe disso, senhor? – Summerlee perguntou, rispidamente.

– Porque o meu antecessor, o americano Maple White, realmente fez tal ascensão. Como de outra forma ele poderia ter visto o monstro que esboçou em seu caderno?

– Aí você raciocina um pouco à frente dos fatos comprovados – disse o teimoso Summerlee. – Admito a existência do seu platô, porque o vi, mas ainda não me convenci de que ele contém qualquer forma de vida.

– O que você admite, senhor, ou o que não admite, é realmente de uma importância inconcebivelmente insignificante. Eu fico feliz em perceber que o platô em si realmente se infiltrou na sua inteligência.

Então, olhou para cima e, para nossa surpresa, saltou da pedra em que estava. Agarrou Summerlee pelo pescoço e forçou-o a erguer o rosto no ar.

– Agora, senhor! – ele gritou, rouco e agitado. – Será que eu preciso ajudá-lo a perceber que o platô contém algum tipo de vida animal?

Eu disse que uma espessa faixa verdejante se destacava na borda do penhasco. Dela surgiu um objeto negro, brilhante. À medida que se aproximava lentamente do abismo, vimos que se tratava de uma cobra enorme, com uma cabeça achatada, semelhante a uma pá. Ela balançou e se retorceu acima de nós por um minuto, com o sol da manhã brilhando sobre seu corpo enrolado, liso e sinuoso. Então, lentamente ela se recolheu e sumiu.

Summerlee ficou tão interessado que não ofereceu resistência quando Challenger ergueu sua cabeça no ar. Logo, porém, ele afastou o colega e recobrou a dignidade.

– Eu agradeceria, professor Challenger – ele disse –, se você pudesse fazer qualquer comentário que lhe ocorresse sem me agarrar pelo queixo. E muito menos o aparecimento de uma cobra comum parece justificar tal liberdade.

– Mas, mesmo assim, há vida no platô – respondeu seu colega, com ar de triunfo. – E, agora, para que essa importante conclusão fique clara para qualquer um, por mais preconceituoso ou obtuso que seja, sou da opinião de que não podemos fazer nada melhor do que levantar acampamento e seguir para o oeste até encontrarmos algum meio de subir.

O terreno no sopé do penhasco era rochoso e irregular, de modo que a caminhada era lenta e penosa. De repente, porém, topamos com algo que alegrou os nossos corações. Era o local de um antigo acampamento, com várias latas de carne em conserva vazias, de Chicago, uma garrafa com o rótulo de "Brandy", um abridor de latas quebrado e uma certa quantidade de restos de outros viajantes. Um jornal amassado e desintegrado revelou-se como o *Democrat*, de Chicago, embora a data estivesse apagada.

– Não é nada meu – Challenger disse. – Deve ser do Maple White.

Lorde John ficou olhando curioso uma grande samambaia que sombreava o acampamento.

– Vejam isso! – ele disse. – Acho que foi colocado como placa de sinalização.

Um pedaço de madeira rija havia sido pregado na planta, apontando para oeste.

– É certamente um sinal – Challenger cogitou. – Por quê? Encontrando-se numa situação difícil, nosso pioneiro deixou este sinal para que qualquer pessoa que o seguisse pudesse saber qual direção ele tomou. Talvez possamos encontrar outras indicações à medida que avançarmos.

Nós realmente as encontramos, mas de um jeito terrível e inesperado. Imediatamente embaixo do penhasco, havia um trecho considerável de um bambuzal alto, como o que havíamos atravessado durante a nossa jornada. Muitos bambus tinham vinte seis metros de altura com copas fortes e pontiagudas, de modo que, mesmo quando erguidos, pareciam lanças formidáveis. Nós estávamos passando ao longo da borda dessa mata quando o meu olhar foi atraído pelo brilho de alguma coisa branca dentro dela. Colocando a cabeça entre as hastes, dei de cara com uma caveira descarnada. Todo o esqueleto estava por ali, mas o crânio havia se soltado e ficou alguns metros mais próximo da abertura.

Com alguns golpes de facão dos nossos índios, limpamos o local e pudemos estudar os detalhes dessa antiga tragédia. Apenas alguns fragmentos de roupas ainda podiam ser percebidos, mas havia restos de botas nos pés esqueléticos e ficou bem claro que o homem morto era europeu. Um relógio de ouro da marca Hudson, de Nova Iorque, e uma corrente que prendia uma caneta-tinteiro, estavam entre os ossos. Havia também uma cigarreira de prata, com as iniciais "J. C., de A. E. S". gravadas na tampa. O estado do metal parecia mostrar que não fazia muito tempo que a catástrofe havia ocorrido.

– Quem poderia ser? – perguntou lorde John. – Pobre diabo! Parece que ele quebrou todos os ossos do corpo!

– E tem bambu crescendo entre as costelas quebradas – Summerlee disse. – É uma planta de rápido crescimento, mas certamente é inconcebível que esse corpo tenha ficado aqui enquanto os bambus cresceram seis metros de comprimento.

– Quanto à identidade do homem – o professor Challenger comentou –, não tenho dúvida alguma sobre esse ponto. Enquanto subia o rio, antes de me encontrar com vocês na fazenda, iniciei pesquisas muito cuidadosas sobre Maple White. No Pará, ninguém sabia de nada. Felizmente, eu tinha uma pista bem definida, pois havia um desenho em particular no caderno de rascunhos que o mostrava almoçando com um certo eclesiástico em Rosário. Eu consegui encontrar esse padre, e embora ele tenha se mostrado um sujeito de espírito muito questionador, pois entendeu de modo absurdamente errado que eu queria convencê-lo do efeito corrosivo que a ciência moderna deveria ter sobre suas crenças, mesmo assim me deu uma informação positiva: Maple White havia passado por Rosário há quatro anos, ou seja, dois anos antes que eu visse seu corpo morto. Na época, ele não estava sozinho, mas acompanhado de um amigo, um americano chamado James Colver, que permaneceu no barco e não se encontrou com esse eclesiástico. Penso, portanto, que não pode haver dúvida de que agora estamos olhando para os restos mortais desse James Colver.

– Nem há muita dúvida sobre como ele encontrou a morte – comentou lorde John. – Ele caiu ou foi lançado do topo e, assim, acabou empalado. De que outra forma poderia ter todos os seus ossos quebrados e como ficaria preso nesses bambus com suas pontas tão acima das nossas cabeças?

O silêncio caiu sobre nós enquanto permanecemos ao redor daqueles restos destruídos e percebemos a verdade das palavras de lorde John Roxton. A crista do penhasco se projetava sobre o bambuzal. Sem dúvida, ele havia caído de cima, mas será que ele tinha caído? Teria sido um acidente? Ou, então… As possibilidades mais sinistras e terríveis começaram a se formar sobre aquela terra desconhecida.

Fomos embora em silêncio e continuamos a caminhar ao longo da linha de penhascos, que estavam tão intactos quanto alguns daqueles monstruosos campos de gelo antárticos, que eu havia visto representados estendendo-se pelo horizonte e elevando-se muito acima dos mastros do navio explorador.

Em oito quilômetros, não vimos nenhuma brecha ou abertura. Então, de repente, percebemos algo que renovou nossas esperanças. Num buraco de uma rocha, protegido da chuva, havia uma seta desenhada grosseiramente com giz, apontando ainda para oeste.

– Maple White de novo – anunciou o professor Challenger. – Ele tinha algum pressentimento de que outros passos dignos seguiriam logo atrás dele.

– Ele tinha giz, então?

– Uma caixa de giz colorido estava entre as coisas que encontrei em sua mochila. Lembro-me de que o giz branco estava gasto e que restava apenas um toco.

– Essa é com certeza uma boa evidência – Summerlee disse. – Só podemos aceitar sua orientação e seguir para oeste.

Havíamos prosseguido por mais cinco quilômetros quando novamente vimos uma seta branca nas rochas. Foi num ponto onde a face do penhasco pela primeira vez se dividia numa fenda estreita. Dentro da fenda havia uma segunda marca de orientação, que sinalizava para o alto, com a ponta um pouco elevada, como se o local indicado estivesse acima do nível do solo.

Era um lugar solene, pois as paredes eram tão gigantescas e a fresta de céu azul tão estreita e tão escurecida por uma dupla franja de vegetação que apenas uma luz fraca e sombria penetrava até o fundo. Tínhamos comida para poucas horas e estávamos muito cansados com a jornada por terrenos pedregosos e irregulares, mas os nossos nervos estavam tensos demais para que nos permitíssemos parar. Pedimos que o acampamento fosse levantado, e, deixando os índios organizando isso, nós quatro, com os dois mestiços, subimos pela estreita garganta.

O Mundo Perdido

A brecha não tinha mais de doze metros de abertura, mas fechava-se rapidamente até terminar num ângulo agudo, reto e liso demais para uma subida. Certamente não seria isso que o nosso pioneiro havia tentado indicar. Fizemos o caminho de volta, o desfiladeiro inteiro não tinha mais de um quarto de milha de profundidade, e, de repente, o olhar rápido de lorde John encontrou o que estávamos procurando. Bem acima de nossas cabeças, em meio às sombras escuras, havia um círculo de uma penumbra mais intensa. Aquilo só poderia ser a entrada de uma caverna.

A base do penhasco estava cheia de pedras soltas, mas não era difícil subir até lá. Quando chegamos, todas as dúvidas se dissiparam. Não só havia uma abertura na rocha como também ao lado dela estava novamente marcado o sinal da seta. Foi por esse local e desse jeito que Maple White e seu azarado companheiro subiram.

Estávamos muito animados para voltar ao acampamento, precisávamos fazer a nossa primeira exploração imediatamente. Lorde John tinha uma lanterna elétrica na mochila, que deveria fornecer luz para nos guiar. Ele avançou, projetando o pequeno círculo de claridade amarela brilhante à frente dele, enquanto nós, em fila indiana, seguíamos em seu encalço.

A caverna havia sido visivelmente escavada pela água, pois as laterais eram lisas e o chão coberto de pedras arredondadas. Era tão pequena que um homem normal simplesmente precisaria se agachar para poder passar. Por quarenta a cinco metros, corria quase reta dentro da rocha e, em seguida, subia num ângulo de quarenta e cinco graus. Mas, de repente, esse declive tornava-se ainda mais íngreme e, assim, tivemos que escalar com as mãos e os joelhos, por entre os seixos soltos que escorregavam atrás de nós. De repente, lorde Roxton soltou uma exclamação.

– Está bloqueada! – ele disse.

Agrupando-nos atrás dele, vimos no campo amarelo da luz uma parede de basalto quebrada que se estendia até a abóbada.

– O teto caiu!

Em vão, arrastamos alguns pedaços. O único resultado foi que os maiores se separaram, ameaçando rolar pelo declive e nos esmagar. Era evidente que o obstáculo estava muito além de qualquer esforço que pudéssemos fazer para removê-lo. O caminho pelo qual Maple White havia subido não estava mais disponível.

Muito abatidos para falar, descemos tropeçando pelo túnel escuro e voltamos para o acampamento.

Antes de sairmos da garganta, porém, ocorreu um incidente importante, tendo em vista o que aconteceu depois.

Estávamos reunidos em um pequeno grupo no fundo do abismo, a uns doze metros abaixo da boca da caverna, quando uma pedra enorme rolou de repente, passando por nós com uma força tremenda. Foi por muito pouco que escapamos, todos ou cada um de nós. Não pudemos ver de onde a rocha tinha vindo, mas os nossos servos mestiços, que ainda estavam na entrada da caverna, disseram que ela passou por eles e que, portanto, devia ter caído do cume. Olhando para o alto, não víamos nenhum sinal de movimento em meio à selva verde acima do penhasco, mas havia poucas dúvidas de que a pedra teria sido apontada para nós, de modo que o incidente certamente indicava ação humana, e de gente maldosa, no platô.

Deixamos apressadamente o abismo, preocupados com o impacto que esse novo acontecimento teria sobre os nossos planos. A situação já estava bastante difícil antes, mas se os obstáculos da natureza fossem agravados pela oposição deliberada de seres humanos, então o nosso caso era de fato desesperador. Apesar disso, ao olharmos para aquela bela faixa de vegetação a apenas algumas dezenas de metros acima de nossas cabeças, nenhum de nós podia conceber a ideia de voltarmos a Londres antes que a tivéssemos explorado a fundo.

Discutindo a situação, decidimos que a nossa melhor opção seria continuar percorrendo o platô na esperança de encontrarmos outros meios de chegar ao topo. A linha de penhascos, que havia diminuído consideravelmente de altura, já havia começado a se mover de oeste para norte. Se pudéssemos tomar isso como a representação do arco de um círculo, a circunferência total não poderia ser muito grande. Na pior das hipóteses, então, em alguns dias estaríamos de volta ao nosso ponto de partida.

Nesse dia, fizemos uma marcha que totalizou cerca de trinta e cinco quilômetros sem mudança nenhuma em nossas perspectivas. Posso mencionar que o nosso aneroide nos mostrava que, pela inclinação contínua que subimos desde que abandonamos as nossas canoas, não estaríamos a menos de um quilômetro acima do nível do mar. Então, sentimos uma mudança considerável tanto na temperatura como na vegetação. Escapamos um pouco daquela terrível infestação de insetos que arruína as viagens tropicais. Algumas palmeiras e muitas samambaias ainda sobrevivem, mas as árvores amazônicas ficaram para trás. Era agradável ver convólvulos, flores de maracujá e begônias, plantas que me lembravam de casa, ali naquelas rochas inóspitas. Havia uma begônia vermelha da mesma cor de uma que é cultivada em um vaso na janela de uma certa vila em Streatham, mas estou divagando em reminiscências pessoais...

Nessa noite – ainda estou falando do primeiro dia da nossa circum-navegação do platô – uma incrível experiência nos aguardava e esse incidente inesperado colocou para sempre um ponto final em qualquer dúvida que pudéssemos ter sobre as maravilhas que estavam tão próximas de nós.

Ao ler a respeito disso, meu caro senhor McArdle, você vai perceber, possivelmente pela primeira vez, que o jornal não me enviou em uma aventura maluca e que haverá uma reportagem inconcebivelmente boa para todo mundo sempre que o professor nos deixar fazer uso dessas informações. Não me atrevo a publicar esses artigos antes que eu possa levar as minhas provas para a Inglaterra, ou serei saudado como o maior jornalista Münchausen de todos os tempos. Não tenho dúvidas de que você faria o mesmo e que não haveria de querer apostar todo o crédito da *Gazette* nessa aventura antes que fosse possível enfrentar o coro de críticas e ceticismo que tais artigos necessariamente haverão de provocar. Portanto, esse extraordinário incidente, que seria uma boa manchete no velho jornal, ainda terá que esperar sua vez na gaveta do editor.

E, no entanto, tudo acabou num piscar de olhos e não deixou sequelas, salvo em nossas próprias convicções.

O que ocorreu foi o seguinte: lorde John matou uma cutia, que é um pequeno animal parecido com um porco, e metade dela tendo sido dada aos índios, estávamos cozinhando a outra metade em nossa fogueira. Depois de escurecer, o ar esfriou bastante, então todos nós nos aproximamos do fogo. A noite não tinha luar, mas algumas estrelas brilhavam e podia-se ver por um pouco a distância na planície. Muito bem! De repente, no meio da escuridão da noite, algo passou voando zunindo como um avião. Por um instante, todo o nosso grupo foi coberto por um dossel de asas coriáceas e, nesse momento, eu tive a visão de um longo pescoço parecido com uma cobra, um olhar feroz, vermelho, guloso e um grande bico que se abria e fechava, cheio, para meu espanto, de pequenos dentes brilhantes. No instante seguinte, essa aparição foi embora, e nosso jantar também. Uma enorme sombra negra, com uns seis metros de diâmetro, deslizava no ar. Por um instante, as asas monstruosas apagaram as estrelas, depois a criatura desapareceu sobre o topo do penhasco acima de nós. Todos nós nos sentamos espantados, em silêncio, ao redor da fogueira, como os heróis de Virgílio quando as Harpias desceram sobre eles. Summerlee foi o primeiro a falar.

– Professor Challenger... – ele disse, com uma voz solene, cheio de emoção. – Eu lhe devo desculpas, senhor. Eu estava muito errado e imploro que esqueça o que passou.

Isso foi dito de maneira generosa e pela primeira vez os dois homens apertaram as mãos. Foi um ganho muito bom que tivemos dessa visão clara do nosso primeiro pterodátilo. Valeu a pena o jantar ser roubado, para reunir os dois homens.

Mas, se existia vida pré-histórica no platô, não era superabundante, pois não voltamos a vislumbrá-la nos três dias seguintes. Durante esse tempo, atravessamos uma região árida e hostil, que alternava desertos pedregosos e pântanos desolados, cheios de muitas aves selvagens, ao norte e a leste dos penhascos. A partir dessa direção, o lugar é realmente inacessível e, se não fosse por uma saliência endurecida que corre na base do precipício, seríamos obrigados a recuar. Muitas vezes estivemos atolados até a altura da cintura na lama e no lodo de um velho pântano semitropical. Para piorar a situação, o local parecia ser um dos criadouros favoritos da cobra jararaca, a mais venenosa e agressiva da América do Sul. De vez em quando, essas criaturas horríveis vinham em nossa direção, contorcendo-se e pulando através da superfície desse pântano pútrido. Só nos sentíamos seguros delas mantendo as nossas armas sempre prontas para disparar. No pântano, uma depressão em forma de funil, de uma cor verde lívida causada por algum líquen que se infiltrou nela, sempre permanecerá como a lembrança de um pesadelo em minha memória. Aquele lugar era como um ninho especial dessas víboras e as encostas pareciam estar vivas com elas, todas se contorcendo em nossa direção, pois é uma peculiaridade da jararaca sempre atacar o homem à primeira vista. Havia muitas para atirarmos, então saímos correndo até ficarmos exaustos. Eu sempre me lembrarei de que quando olhávamos para trás, podíamos ver as cabeças e pescoços de nossas medonhas perseguidoras subindo e descendo entre os bambus. Vamos anotar esse local como o Pântano das Jararacas, no mapa que estamos elaborando.

Os penhascos do lado mais distante tinham perdido o tom avermelhado, tornando-se de uma cor marrom-escuro, como chocolate. A vegetação era mais esparsa ao longo do topo dos rochedos, cuja altitude havia diminuído cem ou cento e vinte metros, mas em nenhum lugar encontramos um ponto onde a escalada fosse possível. Na verdade, eles eram ainda mais inacessíveis do que no primeiro local explorado. O aclive, ou a inclinação absoluta da encosta, pode ser verificado na fotografia que tirei do deserto pedregoso.

– Com certeza – eu disse, quando discutimos a situação – a chuva deve seguir caminho de alguma forma. As águas da chuva devem ter escavado canais nas rochas.

– O nosso jovem companheiro tem vislumbres de lucidez – disse o professor Challenger, dando-me tapinhas no ombro.

– A chuva tem que ir para algum lugar! – repeti.

– Você é um sujeito realista, bem pé no chão. O único problema é que nós provamos conclusivamente pelo nosso exame visual que não existem canais de água embaixo das rochas.

– Então, para onde ela vai? – insisti.

– Eu acho que podemos assumir de forma justificada que, se não ela vai para fora, deve correr para dentro.

– Então, existe um lago no centro.

– Creio que sim.

– É mais do que provável que o lago seja uma cratera antiga – Summerlee disse. – Toda essa formação, claro, é altamente vulcânica, mas, de qualquer modo, acho razoável esperarmos encontrar a superfície interna da encosta do platô com uma considerável lâmina d'água no centro, que talvez seja drenada por algum canal subterrâneo para os mangues do Pântano das Jararacas.

– Ou talvez a evaporação possa preservar o equilíbrio – observou Challenger.

Os dois homens instruídos se afastaram, iniciando mais um de seus habituais bate-bocas científicos, que eram tão compreensíveis quanto a língua chinesa para os leigos.

No sexto dia completamos o nosso primeiro circuito dos penhascos e nos encontramos de volta ao primeiro acampamento, ao lado do pináculo de pedra isolado. Éramos uma turma desconsolada, pois nenhuma pesquisa poderia ter sido mais minuciosa do que a nossa investigação, e era absolutamente certo que não havia um único ponto em que o ser humano mais preparado pudesse ter esperanças de escalar o penhasco. O lugar que as marcas de giz de Maple White indicavam como seu próprio meio de acesso estava agora totalmente intransitável.

O que faríamos, então? As nossas provisões, suplementadas com a caça obtida pelas nossas armas, aguentavam bem, mas chegaria o momento em que precisaríamos de reabastecimento. Em alguns meses, chuvas podiam ser esperadas e seríamos arrastados do nosso acampamento pelas águas. A rocha era mais dura do que mármore e qualquer tentativa de abrir um caminho para tão grande altura exigiria mais tempo ou recursos do que poderíamos dispor. Não era de se admirar que nessa noite olhássemos sombriamente uns para os outros e procurássemos nossos cobertores quase sem trocar nenhuma palavra. A minha última lembrança antes de adormecer era que o Challenger estava agachado, como um monstruoso sapo-boi, perto da fogueira, com a enorme cabeça nas mãos, aparentemente mergulhado nos pensamentos mais profundos e totalmente alheio à saudação de "boa noite" que desejei a ele.

Na manhã seguinte, porém, encontramos um Challenger muito diferente, um Challenger contente e satisfeito consigo mesmo. Quando nos reunimos para o café da manhã, ele nos encarou com uma falsa modéstia depreciativa no olhar, como se quisesse dizer: "Sei que mereço tudo o que vocês têm para dizer, mas peço-lhes que não me envergonhem dizendo". A barba dele eriçava-se exultante, o peito estava estufado e a mão espalmada, na frente da jaqueta. Assim, em sua fantasia, ele às vezes podia se imaginar como uma estátua enfeitando o pedestal vazio na Trafalgar Square, aumentando ainda mais os horrores nas ruas de Londres.

– Eureca! – ele gritou, com os dentes brilhando no meio da barba. – Senhores, vocês podem me agradecer e podemos nos parabenizar uns com os outros. O problema está resolvido.

– Você encontrou um caminho para cima?

– Eu me arrisco a achar que sim.

– Por onde?

Como resposta, ele apontou para o pináculo à nossa direita. Nossos rostos – ou o meu, pelo menos – desanimaram ao examiná-lo. Que poderia ser escalado, tínhamos a garantia do nosso companheiro, mas havia aquele terrível abismo entre o pináculo e o platô.

– Jamais conseguiremos atravessar – comentei, ofegante.

– Mas, pelo menos podemos todos chegar ao cume – ele disse. – Quando estivermos lá em cima, poderei lhes mostrar que os recursos de uma mente inventiva ainda não se esgotaram.

Depois do café da manhã, abrimos o pacote em que o nosso líder trouxera seus acessórios de escalada. De lá, ele tirou um rolo de corda bem forte e bem leve, de quarenta e cinco metros de comprimento, com ferros, grampos e outros dispositivos de alpinismo. Lorde John era um montanhista experiente, e Summerlee havia feito escaladas difíceis em vários momentos, de modo que nessa turma eu era realmente o único novato em trabalhos na rocha, mas a minha força e a minha disposição compensavam a falta de experiência.

Não era, na verdade, uma tarefa muito dura, embora em alguns momentos eu tenha ficado de cabelo em pé. A primeira metade foi muito fácil, mas daí para cima foi se tornando cada vez mais íngreme até que, nos últimos quinze metros, nos agarramos literalmente com as unhas dos dedos das mãos e dos pés a pequenas saliências e fendas na rocha. Nem eu e nem o Summerlee teríamos conseguido se o Challenger não tivesse chegado ao cume (era extraordinário ver tanta disposição num sujeito tão desajeitado), onde fixou a corda em volta do tronco da árvore de considerável tamanho que ali crescia. Com esse apoio, logo conseguimos subir a parede irregular, até nos encontrarmos na pequena plataforma coberta de grama, com sete metros em cada direção, que formava o cume.

A primeira vista que eu tive quando recuperei o fôlego foi da extraordinária paisagem da região que havíamos atravessado. Toda a planície brasileira parecia estar embaixo de nós, estendendo-se para longe até se dissipar na névoa azul-escura acima da distante linha do horizonte. Em primeiro plano, havia a longa encosta, repleta de pedras e pontilhada de samambaias. Mais longe, a meia distância, olhando por cima da encosta em forma de sela, pude ver a massa verde e amarela de bambus pela qual havíamos passado. E, então, gradualmente, a vegetação adensava, até formar a enorme floresta que se estendia até onde os olhos podiam alcançar e por uns bons três mil quilômetros além.

Eu ainda estava embebido daquele maravilhoso panorama quando a mão pesada do professor pousou sobre o meu ombro.

– Aqui, meu jovem companheiro, *vestigia nulla retrorsum* – ele disse. – "Nunca olhe para trás", mas sempre para a nossa gloriosa meta.

O nível do platô, quando eu me virei, era exatamente o mesmo em que nos encontrávamos e a margem verde de arbustos, com árvores ocasionais, estava tão perto que era difícil perceber o quão inacessível permanecia. Por uma suposição aproximada, o abismo tinha uns três metros de largura, mas, do jeito como estavam as coisas, era o mesmo que se tivesse sessenta quilômetros. Coloquei um braço em volta do tronco da árvore e me inclinei sobre o abismo. Lá embaixo estavam as pequenas figuras morenas dos nossos criados, olhando para nós. A parede era absolutamente vertical, exatamente como a que estava na minha frente.

– Isso é realmente curioso – disse o professor Summerlee com sua voz arrastada.

Virei-me e descobri que ele examinava com grande interesse a árvore em que me agarrei. Aquela casca lisa e aquelas pequenas folhas com nervuras pareceram familiares aos meus olhos.

– Meus Deus! – exclamei. – É uma faia!

– Exatamente – Summerlee concordou. – Uma compatriota numa terra distante.

– Não apenas uma compatriota, meu bom senhor – Challenger disse –, mas também, se me permitem ampliar a comparação, uma aliada do mais alto valor. Essa faia será a nossa salvação.

– Por São Jorge! – lorde John gritou. – Uma ponte!

– Exatamente, meus amigos, uma ponte! Não foi por nada que eu gastei uma hora ontem à noite concentrando a minha mente na situação. Creio me lembrar de certa vez ter comentado com o nosso jovem companheiro aqui presente, que G. E. C. alcança seu melhor nível quando é encostado na parede. Ontem à noite, vocês devem admitir que as nossas costas estavam totalmente contra a parede, mas quando a força de vontade e o intelecto caminham juntos, há sempre uma saída: uma ponte suspensa sobre o abismo teria que ser encontrada. E cá está ela. Contemplem-na!

Era certamente uma ideia brilhante. A árvore tinha uns bons dezoito metros de altura e, se caísse do jeito certo, atravessaria facilmente o abismo. Challenger havia trazido o machado do acampamento por cima do ombro quando subiu e, então, entregou-o a mim.

– O nosso jovem companheiro tem a força da mente e o poder dos músculos – ele disse. – Acredito que seja o mais indicado para essa tarefa, mas vou implorar que você gentilmente se abstenha de pensar por si mesmo e que faça exatamente o que lhe for dito.

Sob a direção dele, entalhei sulcos nos lados da árvore, para garantir que ela caísse como desejávamos. O tronco já tinha uma forte inclinação natural na direção do platô, de modo que a tarefa não era difícil. Enfim, comecei a trabalhar seriamente nesse caule, revezando com lorde John. Em pouco mais de uma hora, ouvimos um forte estalo, a árvore balançou para a frente e em seguida caiu, enterrando seus galhos nos arbustos do lado mais distante. O tronco cortado rolou até a borda da nossa plataforma e por um segundo terrível todos nós pensamos que estava tudo perdido. No entanto, a árvore balançou e se equilibrou a poucos centímetros da borda: lá estava a nossa ponte para o desconhecido!

Todos, sem dizermos uma palavra, cumprimentamos o professor Challenger, que, em troca, tirou o chapéu de palha e se curvou profundamente para cada um de nós.

– Eu reivindico a honra de ser o primeiro a atravessar para a terra desconhecida... Sem dúvida alguma, um tema apropriado para alguma futura pintura histórica – ele disse.

Mas, quando ele se aproximou da ponte, lorde John segurou-o pelo casaco.

– Meu caro amigo, eu realmente não posso permitir isso.

– Não pode permitir, senhor! – Challenger ergueu a cabeça e apontou a barba para a frente.

– Quando se trata de uma questão de ciência, como você bem sabe, eu sigo sua liderança, porque você é um homem da ciência, mas cabe a você me seguir quando entra no meu departamento.

– No seu departamento, senhor?

– Todos temos as nossas funções e, no momento, a minha é a de soldado. Nós estamos, de acordo com minhas ideias, invadindo uma nova região, um novo país, que pode ou não estar repleto de inimigos. Entrar cegamente nele por falta de um pouco de bom senso e de paciência não é exatamente a minha noção de prudência.

A objeção era razoável demais para ser desconsiderada. Challenger baixou a cabeça e encolheu os ombros pesados.

– Muito bem, senhor. Então, o que propõe?

– Pelo que imagino, talvez haja uma tribo de canibais se preparando para a hora do almoço no meio daqueles arbustos – lorde John disse, observando o outro lado da ponte. – É melhor agirmos com sabedoria antes de terminarmos na panela de algum cozinheiro. Portanto, vamos nos contentar com a esperança de que não existam problemas nos aguardando e, ao mesmo tempo, vamos agir como se eles existissem. Malone e eu vamos descer de volta e, então, junto com Gomez e o outro, traremos os quatro fuzis. Assim, um homem poderá atravessar, ficando coberto pelos demais com armas até ver se é seguro para toda a turma seguir adiante.

Challenger sentou-se no tronco cortado, resmungando inconformado, mas Summerlee e eu concordávamos que lorde John era nosso líder quando esses detalhes práticos estavam em questão. A subida ficou mais simples, agora que tínhamos a corda pendurada na pior parte da encosta. Em uma hora, levamos os rifles e uma carabina. Os mestiços também subiram e, sob as ordens de lorde John, carregaram um fardo de provisões, caso a nossa primeira exploração fosse longa. Cada um de nós tinha uma cartucheira.

– Agora, Challenger, se você realmente insiste em ser o primeiro homem a entrar... – lorde John disse, quando todos os preparativos ficaram prontos.

– Agradeço-lhe pela gentil permissão – disse o irritado professor; porque nunca houve um homem tão intolerante com relação a qualquer forma de autoridade. – Já que você foi suficientemente bom para permitir isso, eu com certeza assumirei o encargo de agir como pioneiro nesta ocasião.

Enganchado com uma perna de cada lado pendendo sobre o abismo e com o machado pendurado nas costas, Challenger seguiu pelo tronco e logo chegou ao outro lado. Colocando-se em pé, ele acenou, balançando os braços no ar.

– Finalmente! – ele gritou. – Finalmente!

Eu olhava ansiosamente para ele, com a vaga expectativa de que alguma terrível desgraça o atingiria, partindo da cortina verdejante atrás dele; mas tudo permaneceu quieto, exceto quando um pássaro estranho, muito colorido, voou sob seus pés e desapareceu entre as árvores.

Summerlee foi o segundo. Sua energia intensa era maravilhosa num corpo tão frágil. Ele insistiu em levar dois fuzis pendurados nas costas, de modo que ambos os professores teriam armas ao final da travessia. Eu fui em seguida e me esforcei para não olhar o medonho abismo sobre o qual estava passando. Summerlee estendeu a coronha do fuzil e, no momento seguinte, pude apertar sua mão. Quanto a lorde John, ele atravessou – na verdade, andou – sem apoio! Ele deve ter nervos de aço!

E, lá estávamos nós quatro, na terra dos sonhos, no mundo perdido, de Maple White. Para todos parecia o momento do supremo triunfo. Quem poderia adivinhar que era o prelúdio do nosso desastre supremo? Deixe-me contar em poucas palavras como o golpe esmagador desabou sobre nós.

Nós nos afastamos da borda e penetramos cerca de cinquenta metros no matagal próximo, quando um estrondo pavoroso veio de trás. Num impulso, corremos de volta pelo caminho que havíamos feito. A ponte tinha ido embora!

Lá embaixo, na base do penhasco, ao olhar, vi uma massa de galhos emaranhados, estilhaçados e o tronco destroçado. Era a nossa faia. A borda da plataforma tinha desmoronado e deixado tudo despencar? Por um momento, essa explicação passou por nossas mentes. Logo em seguida, do lado mais distante do pináculo rochoso diante de nós, um rosto moreno, o rosto de Gomez, o mestiço, lentamente se projetou.

Sim, era o Gomez, mas não mais o mesmo Gomez de sorriso recatado e expressão mascarada. Ali havia um rosto com olhos faiscantes e feições distorcidas, um rosto convulsionado pelo ódio e com a louca alegria da vingança realizada.
— Lorde Roxton! — ele gritou. — Lorde John Roxton!
— Pois não? Estou aqui! — respondeu o nosso companheiro.
A explosão de uma sonora gargalhada selvagem ecoou no abismo.
— Sim, seu porco inglês, aí você está e aí você vai ficar! Esperei, esperei e agora chegou a minha vez. Vocês acharam difícil subir e vão achar mais difícil ainda descer. Vocês caíram na armadilha, cada um de vocês, seus tolos malditos!
Estávamos surpresos demais para responder. Só podíamos ficar parados, olhando espantados. Um grande galho quebrado sobre a grama revelava a alavanca que ele havia utilizado para deslocar a nossa ponte. O rosto dele havia desaparecido, mas agora voltava, mais frenético do que antes.
— Quase matamos vocês com a pedra na caverna — ele gritou. — Mas, assim é melhor, é mais demorado e mais terrível. Os seus ossos vão secar e ninguém jamais saberá onde vocês estão, nem virá para sepultá-los. Enquanto você estiver morrendo, Roxton, pense no Lopez, em quem você atirou há cinco anos, no Rio Putomayo. Eu sou irmão dele e, aconteça o que acontecer, agora vou morrer feliz, porque sua memória foi vingada — ele concluiu, acenando furiosamente com a mão, e tudo ficou quieto.
Se o mestiço simplesmente tivesse se vingado e em seguida escapado, tudo poderia terminar bem para ele, mas foi o impulso insensato e irresistível de ser dramático que provocou sua própria desgraça. Roxton, o homem que conquistou o apelido de "Flagelo de Deus" em três países, não era alguém que pudesse ser insultado com segurança. O mestiço começou a descer pelo lado mais distante do pináculo, mas antes que ele alcançasse o chão, lorde John correu ao longo da borda do platô e chegou a um ponto de onde podia avistar seu alvo. Bastou um único disparo do rifle. Apesar de não termos visto nada, ouvimos o grito e,

em seguida, o baque distante do corpo que caía. Roxton voltou para nós com o rosto impassível, duro como granito.

– Eu fui um cego simplório – ele disse amargurado. – Foi loucura minha ter envolvido todos vocês nessa questão. Eu não poderia me esquecer de que essas pessoas têm longa memória para os inimigos de sangue e não devia ter baixado a guarda.

– E quanto ao outro? Foram necessários dois para movimentar aquela árvore à beira do abismo.

– Eu poderia ter atirado nele, mas o deixei ir. Ele pode não ter participado. Talvez fosse melhor se eu o tivesse matado, pois ele deve, como você diz, ter dado uma mão...

Agora que tínhamos uma pista do modo de ele agir, cada um de nós começou a recordar de algum ato sinistro da parte do mestiço: seu desejo constante de saber dos nossos planos, a maneira como escutava do lado de fora da nossa tenda quando foi surpreendido, os olhares furtivos de ódio que, de tempos em tempos, um ou outro de nós havia reparado. Ainda estávamos discutindo isso, procurando ajustar as nossas mentes a essas novas condições, quando uma cena singular lá embaixo na planície chamou nossa atenção.

Um homem de roupas brancas, que só poderia ser o mestiço sobrevivente, corria como alguém corre quando a morte está em seu encalço. Atrás dele, a apenas alguns metros de distância, apareceu a enorme figura de ébano do Zambo, o nosso dedicado negro. Ainda enquanto olhávamos, ele pulou nas costas do fugitivo e lançou os braços em volta de seu pescoço. Eles rolaram juntos no chão. Um instante depois, Zambo levantou-se, olhou para o homem prostrado. Em seguida, acenou alegremente para nós e veio correndo em nossa direção. A figura branca ficou imóvel no meio da grande planície.

Os dois traidores tinham sido destruídos, mas o mal que fizeram sobrevivia a eles. Não havia nenhuma maneira de voltarmos para o pináculo. Nós tínhamos sido cidadãos do mundo, mas agora éramos cidadãos do platô. As duas coisas eram separadas. Existia a planície, que levava às canoas. Adiante, além do horizonte violeta e nebuloso, ficava o riacho que levava de volta à civilização. Mas faltava um elo para essa corrente. Nenhuma engenhosidade humana poderia sugerir um meio de transpormos o abismo que se abria entre nós e a nossa vida passada. Um instante havia alterado todas as condições da nossa existência!

Foi nesse momento que tomei conhecimento de que matéria os meus três companheiros eram compostos. Eles eram sérios, é verdade, e pensativos, mas de uma serenidade invencível. Tudo o que podíamos fazer então era nos sentarmos entre os arbustos e esperar pacientemente pela chegada do Zambo. Logo, o rosto honesto do negro surgiu entre as rochas e sua figura hercúlea emergiu no topo do pináculo.

– O que fazer agora? – ele gritou. – Vocês me dizem, que eu faço.

A questão era mais fácil de se perguntar do que de responder, mas uma coisa estava bem clara: ele era o nosso único elo confiável com o mundo exterior. De modo algum ele podia nos deixar.

– Não, não! – ele exclamou. – Não vou deixar vocês. O que quer que aconteça, vocês sempre me encontrarão aqui. Mas não consigo segurar os índios. Eles já disseram que curupira mora nesse lugar, e que vão embora para casa. Então, deixem eles irem embora, porque eu não consigo retê-los.

De fato, os nossos índios tinham demonstrado de várias maneiras que estavam cansados da jornada e ansiosos para voltar. Percebemos que Zambo falava a verdade e que seria impossível segurá-los.

– Peça que esperem até amanhã, Zambo – eu gritei. – Assim, eu posso mandar uma carta de volta com eles.

– Muito bem, senhor! Prometo que eles esperarão até amanhã – disse o negro. – Mas o que eu faço por vocês por enquanto?

Havia muita coisa para ele fazer, e foi admiravelmente fiel nisso. Para começar, sob nossa orientação, ele soltou a corda do toco da árvore e jogou uma das pontas para nós. Não era mais grossa do que um varal, mas muito resistente. Embora não pudéssemos fazer uma ponte, poderíamos considerá-la de um valor inestimável se tivéssemos alguma escalada para fazer. Então, ele amarrou a ponta da corda no pacote de suprimentos que havíamos trazido e conseguimos puxá-lo. Isso nos dava meios de sobrevivência por pelo menos uma semana, mesmo que não encontrássemos mais nada. Por fim, ele desceu para buscar dois outros pacotes de mercadorias mistas – uma caixa de munição e várias outras coisas – que chegaram até nós pela corda que jogamos para ele e puxamos de volta. Anoitecia quando ele enfim se retirou, com a garantia final de que seguraria os índios até a manhã seguinte.

E foi assim que passei quase toda a nossa primeira noite no platô, registrando as nossas experiências à luz de uma única lamparina de vela.

Jantamos acampados à beira do precipício, saciando a nossa sede com duas garrafas de água mineral *Apollinaris* que estavam numa das caixas. Era vital para nós encontrarmos água, mas acho que até o próprio lorde John teve aventuras suficientes por um dia e nenhum de nós se sentiu inclinado a dar o primeiro passo rumo ao desconhecido. Não nos arriscamos a acender uma fogueira, nem a fazer qualquer barulho desnecessário.

Amanhã (ou melhor, hoje, já que é de madrugada quando escrevo) faremos a nossa primeira incursão nessa terra estranha. Quando puder, escrevo novamente. Ou, se alguma vez puder, escrevo de novo, não sei. Enquanto isso, vejo que os índios ainda estão no mesmo lugar e tenho certeza de que o fiel Zambo estará aqui para receber a minha carta. Só espero que um dia chegue às mãos do destinatário.

Obs.: Quanto mais eu penso, mais desesperadora parece a nossa posição. Não vislumbro nenhuma possibilidade de retorno. Se existisse outra árvore alta perto da borda do platô, poderíamos derrubá-la para fazer uma nova ponte suspensa de retorno, mas não vejo nenhuma a menos de cinquenta metros. Nossas forças reunidas não poderiam carregar um tronco que servisse ao nosso propósito. A corda, claro, é muito curta para podermos descer por ela. Sem chances... A nossa situação é desesperadora, desesperadora!

Coisas maravilhosas aconteceram

Coisas maravilhosas aconteceram e continuam acontecendo conosco. Todo papel que possuo consiste em cinco cadernos velhos e várias folhas avulsas, e eu tenho apenas uma caneta-tinteiro. Mas, enquanto puder movimentar a minha mão, continuarei registrando as nossas experiências e impressões, pois, como somos os únicos indivíduos de toda a espécie humana que viram tais coisas, é de enorme importância que eu as registre enquanto elas ainda estão frescas em minha memória, antes que a fatalidade do destino, que parece sempre iminente, de fato recaia sobre nós. Se o Zambo, no final das contas, conseguir levar essas cartas pelo rio, se de algum modo milagroso eu as levar de volta comigo, ou, enfim, se algum explorador ousado, que seguir o nosso rastro com a vantagem, talvez, de vir num avião aperfeiçoado, encontrar este pacote de manuscritos, em qualquer um desses casos, eu posso ver que o que estou escrevendo está destinado à imortalidade como um clássico de aventura de verdade.

Na manhã seguinte, depois de ficarmos presos no platô pelo vilão Gomez, começamos uma nova etapa de nossas aventuras. O primeiro incidente não me deu uma ideia muito favorável do lugar por onde havíamos perambulado. Quando despertei de um curto cochilo depois que amanheceu, os meus olhos caíram sobre alguma coisa de aparência muito singular, grudada em mim. A perna da calça havia sido repuxada, expondo alguns centímetros de pele acima da meia. Preso nessa área, havia algo arroxeado, parecido com uma grande baga de uva. Atônito com essa visão, inclinei-me para a frente, para agarrar aquilo, quando, para meu horror, a coisa explodiu entre o meu dedo indicador e o polegar, esguichando sangue em todas as direções. O meu grito de dor trouxe os dois professores para o meu lado.

– Muito interessante – Summerlee disse, curvando-se sobre a minha canela. – Um enorme carrapato sanguessuga, que até agora, creio, ainda não foi classificado.

– Ah! O primeiro fruto do nosso trabalho! – Challenger disse, do seu jeito pedante e explosivo. – Não podemos deixar por menos, vamos chamá-lo de *Ixodes Maloni*. Essa pequena inconveniência de ser mordido, meu jovem companheiro, não vai ter peso, tenho certeza, para você, considerando o glorioso privilégio de ter o seu nome inscrito na lista imortal da Zoologia. Infelizmente você esmagou esse belo espécime quando ele já estava saciado...

– Bicho nojento! – exclamei.

O professor Challenger ergueu as grandes sobrancelhas em protesto e, para me acalmar, colocou uma das mãos, enorme como uma pata, sobre o meu ombro.

– Você deve cultivar o olhar científico e a mente científica com desprendimento – ele aconselhou. – Para um homem de temperamento filosófico como o meu, o carrapato sanguessuga, com seu focinho parecido com um bisturi e seu estômago extensível, é uma obra da natureza tão bela como o pavão ou, aliás, como a aurora boreal. Dói-me ouvir você falar disso de maneira tão depreciativa. Sem dúvida, com a devida atenção, poderemos obter outro espécime.

– Disso não resta dúvida! – Summerlee disse, sério. – Um deles acaba de desaparecer pelo colarinho da sua camisa.

Challenger saltou no ar, berrando como um touro enfurecido, rasgando freneticamente a camisa e o casaco ao tentar tirá-los. Summerlee e eu ríamos, enquanto procurávamos ajudá-lo. Por fim, despimos aquele tórax monstruoso (cento e trinta e sete centímetros, pela medição do alfaiate). O corpo dele estava totalmente coberto por um emaranhado de pelos negros, em cuja selva recolhemos o carrapato errante antes que ele o mordesse.

Porém, a vegetação ao redor estava cheia dessas pestes horríveis e ficou claro que deveríamos levantar acampamento, mas, antes de tudo, era necessário acertar as coisas com o negro fiel que surgiu no topo com algumas latas de cacau e biscoitos. Dos mantimentos que ficaram embaixo, ele recebeu ordens para pegar o que o sustentasse por dois meses. Os índios receberiam o restante como recompensa por seus serviços e como pagamento por levarem as nossas cartas de volta à Amazônia. Algumas horas depois, nós os vimos seguindo em fila indiana pela planície, cada qual com um pacote na cabeça, fazendo o caminho de volta, ao longo do percurso por onde viemos. Zambo ocupou a pequena tenda na base do pináculo, e lá permaneceu, como o nosso único elo com o mundo lá de baixo.

Então, tínhamos de decidir sobre os nossos movimentos imediatos. Mudamos nossa posição para longe dos arbustos cheios de carrapatos até chegarmos a uma pequena clareira densamente cercada de árvores por todos os lados. Havia algumas lajes de pedra planas no centro, com uma excelente bem perto de nós, onde nos sentamos confortavelmente, enquanto fazíamos os primeiros planos para invadir essa nova região. Pássaros piavam no meio da folhagem, especialmente um deles, com um grito peculiar, que era novo para nós. Mas, além desses sons, não notamos outros sinais de vida.

O primeiro cuidado que tivemos foi fazer uma espécie de lista das nossas provisões, para que pudéssemos saber do que dependíamos. Concluímos que, com as coisas que tínhamos levado e aquelas que o Zambo nos enviou pela corda, estávamos razoavelmente bem supridos. O mais importante de tudo, tendo em vista os perigos que nos cercavam, é que tínhamos os nossos quatro fuzis e mil e trezentas munições, além de uma metralhadora, mas com apenas cento e cinquenta cartuchos de grãos médios. Em matéria de mantimentos, tínhamos o suficiente para várias semanas, com uma boa quantidade de tabaco e alguns instrumentos científicos, inclusive um grande telescópio e um ótimo binóculo. Juntamos todas essas coisas na clareira e, como primeira precaução, cortamos, com as nossas facas e machadinhas, uma série de arbustos espinhosos, que empilhamos num círculo de uns quinze metros de diâmetro. Este seria o nosso quartel general por enquanto, o nosso local de refúgio contra perigos repentinos e a guarita das nossas coisas. Era o Forte Challenger, como apelidamos o local.

Deu meio-dia antes de estarmos seguros, mas o calor não era excessivo e a característica geral do platô, tanto pela temperatura como pela vegetação, era quase de clima temperado. Faias, carvalhos e até bétulas podiam ser encontrados no meio do emaranhado de árvores que nos cercavam. Um imenso *gingko biloba* que cobria todas as outras árvores lançava seus grandes galhos e sua folhagem de avencas sobre o forte que construímos. À sombra, continuamos com o nosso planejamento, enquanto lorde John, que rapidamente assumiu o comando na hora da ação, dava suas opiniões.

– Já que nenhum homem e nenhuma fera nos viu e nem nos ouviu, estamos seguros – ele disse. – A partir do momento que alguém souber que estamos aqui, começam os nossos problemas. Ainda não há sinais de que fomos descobertos. Então, a nossa jogada certamente é ficarmos quietos por algum tempo, espiando o terreno. Precisamos dar uma boa olhada em nossos vizinhos, antes de fazermos alguma abordagem em termos de visitação.

– Mas temos que avançar – eu me arrisquei a comentar.

– Por todos os meios, meu caro, vamos avançar! Mas, com bom senso. Nunca devemos seguir tão longe que não possamos voltar para a nossa base. E, acima de tudo, nunca devemos, a menos que seja uma questão de vida ou morte, disparar as nossas armas.

– Mas você disparou ontem – lembrou Summerlee.

– Bem, foi um impulso mais forte do que eu. De qualquer forma, o vento estava forte e soprava em sentido contrário. Não creio que o som tenha ido muito longe no platô. A propósito, como vamos chamar esse lugar? Acho que cabe a nós dar-lhe um nome…

Fizemos várias sugestões, mais ou menos felizes, mas a de Challenger levou a melhor no final.

– Este lugar só pode ter um nome... – ele disse. – Devemos homenagear o pioneiro que o descobriu. Só pode se chamar Terra de Maple White.

Assim, o local se tornou a Terra de Maple White – ou *Maple White Land* – no mapa que havia se tornado a minha tarefa especial. E é dessa forma que, acredito, haverá de constar em todos os atlas geográficos do futuro.

A entrada pacífica na Maple White Land era uma necessidade urgente para nós. Tínhamos evidências por nossos próprios olhos de que o lugar era habitado por algumas criaturas desconhecidas. Além disso, o caderno de esboços de Maple White mostrava que monstros ainda mais terríveis e mais perigosos poderiam aparecer. O fato de que também poderiam existir habitantes humanos e de que eles seriam de caráter hostil havia sido sugerido pelo esqueleto empalado nos bambus, que não poderia ter chegado lá a não ser que fosse derrubado de cima. A nossa situação, agravada pela impossibilidade de escaparmos daquela terra, estava claramente cheia de perigos e as nossas razões endossavam cada medida de precaução que a experiência de lorde John pudesse sugerir. No entanto, certamente seria inadmissível desistirmos à beira desse mundo misterioso, quando as nossas próprias almas fervilhavam de impaciência para avançarmos, desbravando os segredos da região.

Nós, portanto, bloqueamos a entrada da nossa *zareba*[6], enchendo-a com vários arbustos espinhosos, e deixamos o acampamento com as nossas coisas inteiramente cercadas por essa sebe protetora. Então, lenta e cautelosamente, partimos para o desconhecido, seguindo o curso do pequeno riacho que fluía da nascente onde estávamos e que, como sempre, haveria de nos servir de guia no retorno.

Mal havíamos partido quando nos deparamos com sinais de que realmente maravilhas nos aguardavam. Depois de algumas centenas de metros de uma floresta densa, que continha muitas árvores

---

6   Termo usado em alguns países do norte da África para definir um forte feito de galhos e arbustos. (N. E.)

completamente desconhecidas para mim, mas que Summerlee, que era o botânico da turma, reconheceu como sendo algum tipo de conífera desconhecida e plantas cicadáceas que há muito tempo haviam desaparecido do mundo lá embaixo, entramos numa região onde o riacho se alargava e formava um pântano considerável. Bambus altos, de um tipo peculiar, sendo considerados como pertencentes ao gênero *equisetaceae*, ou cavalinhas, surgiram diante de nós, com samambaias espalhadas entre eles, balançando ao vento forte. De repente, lorde John, que estava andando na frente, parou com a mão erguida.

– Vejam isso! – ele disse. – Por São Jorge, esse deve ser o rastro do pai de todos os pássaros!

Uma pegada enorme, com três dedos, aparecia impressa na lama mole diante de nós. A criatura, qualquer que fosse, atravessou o pântano e seguiu para a floresta. Todos paramos para examinar aquele rastro monstruoso. Se realmente fosse de um pássaro, que ave poderia deixar tal marca? Aquela pegada era muito maior do que a de um avestruz e a altura da ave, na mesma proporção, deveria ser enorme. Lorde John olhou ansiosamente ao redor e colocou dois cartuchos em seu rifle de caçar elefantes.

– Aposto o meu bom nome de caçador *shikaree*[7] – ele afirmou – de que esse rastro é recente. Não faz dez minutos que a criatura passou por aqui. Vejam como a água ainda está escorrendo para dentro daquela pegada mais funda! Por Júpiter! Vejam, aqui temos marcas de uma pegada menor!

Visivelmente, rastros menores, com o mesmo formato geral, corriam em paralelo aos maiores.

– O que acham disso? – gritou o professor Summerlee, triunfante, apontando para o que parecia ser a enorme impressão de uma mão humana, com cinco dedos aparecendo entre as marcas de três dedos.

---

7   *Shikaree* ou *shikari* é o termo usado pelos indianos para definir "caçador". (N. E.)

– Wealden! – gritou Challenger, em êxtase. – Eu vi no barro da rocha de Wealden. É uma criatura que anda ereta sobre pés de três dedos e, ocasionalmente, coloca uma das patas dianteiras, com cinco dedos, no chão. Não é um pássaro, meu caro Roxton, não pode ser um pássaro.
– É alguma fera?
– Não, é um réptil, um dinossauro. Nada mais poderia deixar essas pistas. Elas intrigaram aquele médico digno de Sussex, noventa anos atrás, mas quem no mundo poderia esperar uma cena como essa?

As palavras dele minguaram num sussurro e todos nós ficamos em impassível imobilidade. Seguindo as trilhas, saímos do pântano e passamos por uma cortina de mato e árvores. Adiante havia uma clareira aberta, e nela estavam cinco das mais extraordinárias criaturas que eu já vi. Agachados entre os arbustos, nós as observamos à vontade.

Ao todo, como eu disse, eram cinco animais, sendo dois adultos e três filhotes. De tamanho, eram enormes. Até os bebês eram imensos como elefantes, enquanto os dois maiores iam muito além de todas as criaturas que já conheci. Eles tinham o couro cor de ardósia, escamoso como o dos lagartos e resplandecente quando o sol brilhava. Todos os cinco estavam sentados, equilibrando-se sobre as caudas, largas, poderosas e as enormes patas traseiras de três dedos, ao passo que, com as pequenas patas de cinco dedos, puxavam para baixo os galhos para pastar. Não sei se posso dar a vocês melhor ideia da aparência deles do que dizer que eles pareciam cangurus monstruosos, com seis metros de comprimento e couro semelhante ao do jacaré-açu.

Não imagino por quanto tempo ficamos imóveis contemplando esse maravilhoso espetáculo. Um vento forte soprou em nossa direção, mas estávamos bem escondidos e, por isso, não havia chance de sermos descobertos. De tempos em tempos, os pequenos brincavam em volta dos pais, dando desajeitadas cambalhotas, com as feras maiores saltando no ar e caindo com baques surdos sobre a terra. A força dos pais parecia não ter limites. Um deles, sentindo alguma dificuldade para alcançar um monte de folhagem que crescia numa árvore de tamanho considerável, colocou as patas dianteiras em volta do tronco, derrubando-o como se fosse de uma muda. A ação parecia mostrar, pelo que imaginei, não apenas o grande desenvolvimento de seus músculos, mas também o pequeno tamanho do cérebro do animal, pois todo o peso da árvore desabou em cima dele, que emitiu uma série de gritos agudos evidenciando que, por maior que ele fosse, havia sim um limite para o que poderia suportar. O incidente aparentemente o fez pensar que o local era perigoso, pois lentamente o bicho se afastou para a floresta, seguido pela companheira e os três enormes bebês. Vimos o reflexo coriáceo deles passar por entre os troncos das árvores, com suas cabeças ondulando acima do bosque. Então, todos desapareceram da nossa vista.

Olhei para os meus companheiros. Lorde John estava parado, de olho na mira e com o dedo no gatilho de sua arma de matar elefantes. A alma do caçador ansioso brilhava em seu olhar feroz. O que ele não daria para ter uma daquelas cabeças colocadas entre os dois remos cruzados acima da lareira, em seu aconchegante refúgio no Albany! No entanto, sua razão o impedia de fazer isso, pois toda a exploração das maravilhas dessa terra desconhecida dependia da nossa presença ficar oculta para seus habitantes.

Extasiados, os dois professores permaneceram em silêncio. Nesse alvoroço, inconscientemente eles se agarraram pelas mãos, parecendo duas crianças pequenas na presença de alguma maravilha. As bochechas do Challenger se abriram num sorriso sublime e a ironia no rosto do Summerlee, nesse momento, suavizou-se em admiração e reverência.

– *Nunc dimittis*! – ele gritou afinal. – Imagine o que vão dizer disso na Inglaterra!

– Meu caro Summerlee, eu vou lhe dizer com muita certeza exatamente o que lhe dirão na Inglaterra – retrucou Challenger. – Dirão que você é um mentiroso diabólico e um cientista charlatão, exatamente como você e outros disseram de mim.

– Diante das fotografias?

– Falsas, Summerlee! Falsas e manipuladas!

– Diante dos espécimes?

– Ah! Haveremos de levá-los! Assim, Malone e sua indecente equipe da Fleet Street poderão nos elogiar. Vinte e oito de agosto, o dia em que avistamos cinco iguanodontes vivos em uma clareira da Maple White Land. Anote isso no seu diário, meu jovem companheiro e envie para o seu pasquim.

– E prepare-se para receber em troca o bico da bota do seu editor – lorde John ironizou. – As coisas aqui são um pouco diferentes daquelas na latitude de Londres, meu caro. Muitos homens jamais contam suas aventuras, por temerem não ser levados a sério. Quem pode culpá-los? Quanto a nós, em um mês ou dois isso vai parecer apenas um sonho para nós mesmos. O que você disse que eles seriam?

– Iguanodontes – Summerlee respondeu. – Você encontrará pegadas deles nas areias de Hastings, em Kent e em Sussex. O sul da Inglaterra estava repleto deles quando havia abundância de coisas verdejantes boas para sustentá-los. As condições mudaram e essas feras morreram. Aqui, parece que as condições não mudaram e essas feras sobreviveram.

– Se algum dia sairmos daqui vivos, tenho que levar uma cabeça dessas comigo – alardeou lorde John. – Senhor, como aquela multidão de caçadores da Somália e de Uganda morreria de inveja quando a vissem! Eu não sei o que vocês pensam, mas parece-me que estamos caminhando sobre uma finíssima camada de gelo o tempo todo...

Eu também sentia esse mesmo ar de mistério e perigo ao nosso redor. Na escuridão das árvores, parecia haver uma ameaça constante, e quando olhávamos para a folhagem sombria no alto, vagos terrores assolavam os nossos corações. Na verdade, essas criaturas monstruosas que vimos eram animais brutos e inofensivos, que dificilmente machucariam alguém. Mas, nesse mundo de maravilhas, será que não existiriam outros sobreviventes mais ativos e ferozes, prontos para nos atacar a partir de seus covis nas rochas ou no mato? Eu sabia pouca coisa a respeito da vida pré-histórica, mas tinha uma lembrança clara de um livro que havia lido, que falava de criaturas que viveriam com nossos leões e tigres como os gatos vivem com os ratos. E se essas feras também fossem encontradas nos bosques da Maple White Land?

Estava determinado pelo destino que nessa mesma manhã, a primeira que passamos no novo território, descobriríamos os estranhos riscos que nos cercavam. Foi uma aventura repugnante, a respeito da qual odeio pensar. Se, como lorde John disse, a clareira dos iguanodontes permanecerá conosco como um sonho, então certamente o pântano dos pterodátilos ficará para sempre como o nosso pesadelo. Vou relatar exatamente o que aconteceu.

Seguimos muito lentamente pela floresta, em parte porque lorde Roxton agia como batedor antes de nos deixar avançar, e em parte porque toda vez que se preparavam para dar o segundo passo, um ou outro dos nossos professores tropeçava, com um grito de admiração, diante de alguma flor ou de algum inseto que lhes parecia como sendo de um novo tipo. Acho que andamos cinco quilômetros, no máximo, mantendo-nos à direita da linha do riacho, quando nos deparamos com uma abertura considerável nas árvores. Um cinturão de mato levava a um emaranhado de rochas. Todo o platô estava coberto de pedras. Prosseguíamos vagarosamente em direção a essas rochas, entre plantas que alcançavam a nossa cintura, quando notamos um som estranho, uma espécie de burburinho entremeado de assobios, que enchia o ar com um clamor constante e parecia vir de algum ponto imediatamente à nossa frente. Lorde John ergueu a mão como um sinal para pararmos e rapidamente se aproximou da linha de pedras, correndo meio inclinado. Nós o vimos agachar-se e recuar com um gesto de espanto. Naquele instante ele parece ter se esquecido de nós, completamente extasiado com o que viu. Por fim, acenou para que nos aproximássemos, erguendo a mão em sinal de cautela. Todo esse comportamento dele me fez sentir que adiante haveria algo fantástico, mas perigoso.

Rastejando até ele, olhamos para as rochas. O local era um fosso e podia, nos primeiros tempos, ter sido uma chaminé menor do vulcão do platô. Tinha forma de tigela e, no fundo, a algumas centenas de metros de onde estávamos, havia poças de água esverdeada, circundadas de bambus. O lugar era sinistro por si, mas seus ocupantes faziam-no parecer uma cena dos Sete Círculos de Dante. Esse local era uma colônia de pterodátilos. Havia centenas deles reunidos dentro do nosso campo de visão. Toda a área no fundo e ao redor da beira da água estava repleta de filhotes, com mães horrendas ainda chocando seus ovos amarelados. Era dessa massa reptiliana viva, agitada e repugnante, que vinha o clamor escandaloso que ecoava no ar, junto com um odor infecto, horrível, mofado, que nos deixava enjoados. Um pouco acima, cada qual empoleirado em sua própria pedra, altos, acinzentados e murchos, mais parecendo espécimes mortos e ressequidos do que criaturas vivas, sentavam-se os machos horrendos, absolutamente imóveis, que eventualmente rolavam seus olhos vermelhos ou estalavam seus bicos semelhantes a ratoeiras ao ver alguma libélula passar ao alcance deles. Suas imensas asas membranosas ficavam fechadas quando dobravam os antebraços, de modo que eles se sentavam como gigantescas mulheres velhas, envoltas em horríveis xales cor de teia de aranha, com as ferozes cabeças projetando-se acima deles. Grandes e pequenas, não menos do que mil dessas criaturas imundas jaziam no buraco diante de nós.

Os nossos professores ficariam contentes se pudessem permanecer ali pelo resto do dia, tão encantados estavam com essa oportunidade única de estudarem a vida numa era pré-histórica. Eles apontavam para os peixes e os pássaros mortos espalhados entre as rochas, como prova da natureza da alimentação dessas criaturas, e os ouvi congratulando-se um com o outro por esclarecerem o motivo pelo qual as ossadas desses pterodátilos – ou, dragões voadores, como eles também os chamavam – podem ser encontradas em tão grande número em certas áreas bem definidas, como nas areias verdes de Cambridge, já que se via agora que, como os pinguins, eles viviam em bando.

Finalmente, porém, Challenger, empenhado em provar algum ponto que Summerlee havia contestado, levantou a cabeça sobre a rocha e quase trouxe destruição para todos nós. No mesmo instante, o macho mais próximo soltou um grito agudo, sibilante e bateu as asas de couro, de seis metros de altura, para voar. As fêmeas e os filhotes se aglomeraram perto da água, enquanto todo o círculo de sentinelas subia um após o outro, navegando no céu. Foi uma cena extraordinária ver pelo menos uma centena dessas criaturas de tamanho tão grande e de aparência tão feia mergulhando no ar feito andorinhas, batendo as asas com força e rapidez acima de nós, mas logo percebemos que aquilo não significava nenhum convite que nos autorizasse a ficar. Inicialmente, as grandes feras voaram em círculos enormes, como se quisessem verificar qual seria a exata extensão do perigo. Em seguida, os voos foram ficando mais baixos e os círculos se tornando mais estreitos, até que eles passaram a girar em volta de nós, com as abas secas de suas enormes asas cor de ardósia enchendo o ar de um volume sonoro que me fez lembrar do aeródromo de Hendon em dia um de corrida.

– Vamos para o bosque, mas fiquemos juntos – orientou lorde John, engatilhando o rifle. – Essas feras são sinônimo de encrenca.

No momento em que tentamos recuar, o círculo se fechou ainda mais sobre nós, até que as pontas das asas das criaturas mais próximas de nós quase tocaram em nossos rostos. Demos coronhadas aleatórias, mas não havia nada sólido ou vulnerável para atingir. Então, de repente, saindo do círculo cor de ardósia, um longo pescoço surgiu e um bico feroz apontou para nós, seguido de vários outros. Summerlee gritou e pôs a mão no rosto, de onde escorria sangue. Senti uma pancada na nuca e fiquei tonto com o choque. Challenger caiu e quando eu me abaixei para ajudá-lo fui novamente atingido por trás, tombando em cima dele. No mesmo instante ouvi o estrondo do rifle de caçar elefantes de lorde John e, olhando para cima, vi uma das criaturas com uma asa quebrada se debatendo no chão, cuspindo e gorgolejando para nós, espirrando sangue pelo bico escancarado, de olhos esbugalhados, como um diabo em um quadro medieval. Seu bando passou a voar mais alto com o barulho repentino, circulando acima das nossas cabeças.

– Agora! – gritou lorde John. – Nossas vidas estão em jogo!

Entramos no mato, tropeçando, mas no exato momento em que chegamos às árvores, as harpias voltaram a nos atacar. Summerlee foi derrubado, porém nós o arrastamos, correndo para os troncos. Uma vez lá, estávamos a salvo, pois aquelas enormes asas não tinham espaço para se abrir embaixo dos galhos. Enquanto voltávamos cambaleando para o acampamento, lastimavelmente machucados e desconcertados, ainda os vimos voando por um longo tempo no céu azul profundo acima de nossas cabeças, girando e girando, não maiores do que pombos da floresta, com seus olhos sem dúvida ainda acompanhando o nosso avanço. Finalmente, quando chegamos à floresta mais densa, eles desistiram da perseguição e não os vimos mais.

– Uma experiência muito interessante e bastante instrutiva – comentou Challenger, quando paramos ao lado do riacho e enquanto lavava o joelho inchado. – Agora, Summerlee, estamos excepcionalmente bem informados a respeito dos hábitos de pterodátilos enfurecidos.

Summerlee limpava o sangue de um corte na testa, enquanto eu esfregava uma desagradável pancada no músculo do pescoço. Lorde John ficou com a ombreira do casaco rasgada, mas os dentes da criatura apenas arranharam sua pele.

– Vale a pena notar – continuou Challenger – que o nosso jovem companheiro recebeu um verdadeiro soco na nuca, enquanto o casaco de lorde John só pode ter sido rasgado por uma mordida. No meu caso, fui golpeado na cabeça, por asas. Portanto, tivemos uma bela exibição dos vários métodos de ataque deles.

– Escapamos por um triz – lorde John observou com seriedade. – Eu não conseguiria imaginar nenhum tipo de morte mais repulsiva do que sermos exterminados por tais seres imundos. Eu me arrependi de disparar o rifle, mas, por Júpiter, não tive escolha!

– Nós não estaríamos aqui se você não tivesse atirado – eu disse, com convicção.

– Pode ser que isso não nos prejudique – ele disse. – Nesses bosques, devem ocorrer estouros muito fortes de árvores que racham ou caem, que soariam exatamente como a detonação de uma arma, mas se quiserem saber a minha opinião, já tivemos emoções fortes demais por hoje. É melhor voltarmos para o acampamento e procurar a caixa de primeiros socorros, em busca de algum antisséptico e de curativos. Quem saberia dizer qual veneno essas feras podem ter em suas mandíbulas infectas?

Pois bem! Certamente nenhum homem jamais teve um dia igual desde o começo do mundo. E, no entanto, havia ainda uma nova surpresa reservada para nós. Quando, após seguirmos o curso do nosso riacho, finalmente alcançamos a clareira e vimos a barricada espinhosa de nosso acampamento, pensamos que nossas aventuras estavam encerradas, mas antes que pudéssemos descansar, tivemos mais uma coisa para nos preocupar. O portão do Forte Challenger permanecia intocado, as paredes intactas, no entanto, alguma criatura estranha e poderosa havia nos visitado durante a nossa ausência. Não encontramos nenhuma pegada que pudesse dar alguma pista da natureza do visitante, apenas um galho quebrado na enorme árvore *gingko biloba* sugeria como ele poderia ter vindo e ido embora. Mas de sua força e de suas más intenções sobravam evidências na condição das nossas coisas. Tudo estava espalhado aleatoriamente pelo chão, e uma lata de carne em conserva tinha sido esmagada e seu conteúdo extraído. Uma caixa de cartuchos havia sido destroçada como uma caixa de fósforos e um reforço de latão estava rasgado em pedaços ao lado. Mais uma vez, uma vaga sensação de horror assaltou as nossas almas, e nós olhávamos assustados para as sombras escuras ao redor, entre as quais alguma criatura assustadora poderia estar à espreita. Como foi bom escutar a voz do Zambo nos saudando! Imediatamente fomos para a beira do platô, onde o vimos sentado sorrindo para nós no topo do pináculo no lado oposto.

– Tudo bem, *Masta* Challenger, tudo vai bem! – ele gritou. – Eu fico por aqui, sem medo. Vocês sempre vão me encontrar quando precisarem de mim.

Seu rosto negro ingênuo e a imensa visão diante de nós, que nos levava até o afluente da Amazônia, nos ajudaram a lembrar que na verdade estávamos naquela terra em pleno século XX e que, por alguma espécie de magia, não havíamos sido transportados para algum planeta virgem em seu estado mais antigo e selvagem. Como era difícil aceitar que a linha violeta no horizonte distante avançava muito até aquele grande rio sobre o qual corriam enormes nuvens e onde as pessoas falavam dos pequenos assuntos da vida, enquanto nós, abandonados entre as criaturas de uma época passada, podíamos apenas olhar para aquilo e ansiar por tudo o que significava!

Desse dia maravilhoso, outra lembrança permaneceu comigo e com ela fecharei esta carta. Os dois professores, sem dúvida com o temperamento alterado por seus ferimentos, discutiam aos gritos se os nossos agressores eram do gênero pterodátilo ou dimorfodonte. Para escapar das brigas, eu me afastei um pouco para o lado e fiquei sentado fumando no tronco de uma árvore caída, quando lorde John veio se aproximando em minha direção.

– Malone, vou lhe dizer uma coisa: você se lembra daquele lugar onde as feras estavam? – ele perguntou.

– Claramente.

– Era uma espécie de chaminé vulcânica, não acha?

– Exatamente – concordei.

– Você reparou no solo?

– Rochoso.

– E, em volta da água, onde ficava o bambuzal?

– Era um solo azulado, parecia barro.

– Exatamente: uma chaminé vulcânica cheia de argila azul.

– E daí? – indaguei.

– Ora! Nada, nada...

Ele caminhou de volta para onde as vozes dos homens da ciência esbravejavam num dueto prolongado, com o tom de voz alto e estridente do Summerlee subindo e descendo contra o sonoro baixo profundo do Challenger. Eu não teria pensado mais no comentário de lorde John se não o tivesse ouvido naquela noite repetir murmurando para si mesmo: "Argila azul... Argila azul, numa chaminé vulcânica!". Essas foram as últimas palavras que ouvi antes de pegar no sono, esgotado.

Pela primeira vez eu era o herói

Lorde John Roxton estava certo quando pensou que poderia haver alguma propriedade especialmente tóxica na picada das criaturas horrendas que nos atacaram. Na manhã seguinte à nossa primeira aventura no platô, tanto Summerlee como eu, estávamos com muita dor e febre, enquanto o joelho de Challenger estava tão inchado que ele mal conseguia andar. Permanecemos no acampamento o dia todo. Lorde John tratou, com a pouca ajuda que podíamos lhe dar, de aumentar a altura e a espessura das paredes espinhosas que eram a nossa única defesa. Lembro-me de que passei o dia inteiro assombrado pela sensação de que estávamos sendo observados de perto, embora por quem ou de onde eu não tivesse a menor ideia.

Tão forte era essa impressão que contei ao professor Challenger, que atribuiu isso à agitação mental causada pela febre. Inúmeras vezes olhei em volta rapidamente, com a convicção de que estava prestes a ver alguma coisa, mas apenas encontrava o emaranhado escuro da nossa sebe ou a escuridão solene e cavernosa das grandes árvores que se arqueavam acima de nossas cabeças. E, no entanto, só crescia o sentimento de que algum observador cruel ou alguma coisa maligna nos rondava. Pensei na superstição indígena do curupira – o espantoso e espreitador espírito dos bosques – e comecei a imaginar que sua terrível presença assombrava todos aqueles que invadiam seu retiro mais remoto e sagrado.

O Mundo Perdido

Naquela noite (a terceira que passávamos na Maple White Land), tivemos uma experiência que deixou uma impressão apavorante em nossas mentes e nos fez agradecer a lorde John por ter trabalhado tanto para tornar o nosso retiro inexpugnável. Estávamos todos dormindo em volta da fogueira quase apagada quando fomos despertados – ou melhor dizendo, quando fomos arrancados brutalmente do nosso sono – por uma sucessão dos berros e dos gritos mais terríveis que já ouvi. Não conheço nenhum som que possa ser comparado com esse tumulto inacreditável, que parecia vir de algum lugar a algumas centenas de metros do nosso acampamento. Era tão ensurdecedor quanto o apito de uma locomotiva, mas enquanto o apito é um som claro, mecânico e agudo, o volume desse ruído era muito mais profundo e vibrante, com mais tensão, agonia e horror. Tapamos os ouvidos com as mãos para silenciar esse chamado que irritava os nervos. O suor frio tomou conta do meu corpo e meu coração enfermo disparou. Todas as desgraças de uma vida atormentada, toda a tremenda carga acusatória dos altos céus, com suas infinitas culpas e seus indescritíveis lamentos, parecia estar concentrada e condensada naquela gritaria terrível e agonizante. Então, ao fundo desse som agudo e estridente, ouvia-se uma gargalhada intermitente, um pouco mais baixa e profunda, um gorgolejo gutural de alegria, representando um acompanhamento grotesco para o grito com o qual se misturava. Por três ou quatro minutos a fio, o dueto pavoroso continuou, enquanto toda a folhagem murmurava com a revoada dos pássaros assustados. Em seguida, tudo se calou tão repentinamente como começou. Durante muito tempo ficamos sentados em silêncio, apavorados. Nesse momento, lorde John jogou um monte de gravetos sobre a fogueira. Um brilho avermelhado iluminou os rostos dos meus companheiros, refletindo nos grandes galhos acima de nossas cabeças.

– O que foi isso? – sussurrei.

– Saberemos de manhã – lorde John respondeu. – Chegou bem perto de nós, não muito longe da clareira.

– Tivemos o privilégio de escutar uma tragédia pré-histórica, o tipo de drama que ocorria nos bambuais à beira de alguma lagoa jurássica, quando o dragão maior prendia o menor no lodo – Challenger disse, com um tom de voz solene mais intenso do que jamais havíamos ouvido. – Certamente foi bom para o ser humano ter chegado um pouco mais tarde na ordem da criação. Existiam poderes tão extremos nos primeiros dias que nenhuma coragem e nenhum engenho poderiam superar. De que adiantariam fundas, lanças ou flechas, contra forças iguais às que se desencadearam nessa noite? Mesmo um rifle moderno nada faria contra um monstro desses.

– Eu acho que confiaria no meu amiguinho aqui – lorde John comentou, acariciando seu rifle *express*. – Mas a fera certamente também teria uma boa chance.

Summerlee levantou a mão.

– Silêncio! – ele exclamou. – Acho que ouvi algo...

Do silêncio absoluto vinha um rumor abafado, regular, de algumas pancadas. Eram as passadas de algum animal, que andava num ritmo macio, mas pesado, como se fossem amortecidas por almofadas que tivessem sido cuidadosamente colocadas sobre o chão. Ele rodeou lentamente todo o acampamento e parou perto do portão. Podíamos ouvir a respiração ofegante, baixa e sibilante, da criatura. Apenas a nossa frágil sebe nos separava desse horror noturno. Cada um de nós empunhou um rifle e lorde John puxou um pequeno arbusto para abrir uma vigia na cerca.

– Por São Jorge! – ele sussurrou. – Acho que consigo vê-lo!

Eu me inclinei e olhei através da abertura por cima do ombro dele. Sim, eu também pude ver. Sobre a sombra escura da árvore, havia ainda uma outra sombra mais profunda, negra, disforme, vaga – uma forma agachada, cheia de vigor e de ameaça selvagem. Não era mais alta que um cavalo, mas seu contorno escuro sugeria um volume e uma força enormes. Aquela respiração ofegante, tão regular e volumosa quanto o escapamento de um motor, revelava um organismo monstruoso. De repente, ao se mover, pensei ter visto o brilho de dois terríveis olhos esverdeados. Houve uma agitação na folhagem, como se lentamente aquilo tentasse se arrastar para a frente.

– Acho que vai saltar! – eu disse, empunhando o meu rifle.

– Não atire! Não atire! – lorde John sussurrou. – O disparo de uma arma nessa noite silenciosa seria ouvido por quilômetros. Guarde o rifle como a uma última cartada.

– Se essa coisa passar por cima da cerca, estamos perdidos – Summerlee comentou, com sua voz sumindo num riso amarelo, nervoso, enquanto ele falava.

– Não, ele não deve saltar! – lorde John exclamou. – Mas não atirem até o final. Talvez eu possa fazer algo. De qualquer maneira, vou arriscar.

Foi a atitude mais corajosa que jamais vi um homem tomar. Ele se inclinou para a fogueira, pegou um galho em chamas e imediatamente enfiou-o pela vigia que havia feito na entrada. A coisa avançou com um grunhido assustador. Sem hesitar, lorde John foi em direção à fera com um passo rápido e leve, e atirou o tição em chamas no focinho do animal. Por um momento, vislumbrei uma máscara horrenda, como a cabeça de um sapo gigante, com uma pele asquerosa cheia de verrugas, o beiço caído, babando sangue fresco. Em seguida, ouvimos o mato sendo esmagado e o nosso terrível visitante foi embora.

– Achei que ele não enfrentaria o fogo – lorde John disse, sorrindo, quando voltou e atirou o galho nas brasas.

– Você não deveria ter corrido esse risco! – todos nós exclamamos.

– Não havia mais nada a fazer. Se ele tivesse avançado sobre nós, teríamos atirado uns nos outros tentando abatê-lo. Por outro lado, se atirássemos através da sebe, conseguindo feri-lo, ele logo nos alcançaria, para não dizer que assim estaríamos revelando a nossa posição. De um modo geral, acho que nos saímos muito bem. Então, o que era?

Hesitantes, os nossos sábios olharam um para o outro.

– Pessoalmente, não sou capaz de classificar essa criatura com algum grau de certeza – Summerlee disse, acendendo o cachimbo com uma brasa.

– Ao se recusar a comprometer a sua opinião, você demostra uma reserva científica adequada – Challenger disse, com enorme condescendência. – Eu não estou preparado para ir mais longe do que dizer que é quase certo que estivemos em contato nesta noite com alguma forma de dinossauro carnívoro. Eu já havia expressado o meu pressentimento de que algo do tipo poderia existir nesse platô.

– Temos que ter em mente – Summerlee observou – que existem muitas formas pré-históricas que nunca chegaram até nós. Seria arriscado supor que temos condições de identificar tudo o que provavelmente encontraremos.

– Exato. Uma classificação preliminar talvez seja o melhor que podemos tentar. Amanhã, sob a luz do dia, algumas evidências adicionais poderão nos ajudar na identificação. Por enquanto, devemos recuperar o sono interrompido.

– Mas não sem uma sentinela – lorde John disse, decidido. – Não podemos nos dar ao luxo de nos arriscar num lugar desses. De agora em diante, revezamento de duas horas para cada um de nós.

– Então, vou terminar o meu cachimbo sendo o primeiro – ofereceu-se o professor Summerlee.

A partir desse momento, nunca mais descansamos sem alguém vigiando.

De manhã, não demorou muito para descobrirmos a fonte do tumulto hediondo que nos despertara durante a noite. A clareira dos iguanodontes havia sido palco de uma terrível carnificina. Pelas poças de sangue e os enormes pedaços de carne espalhados em todas as direções sobre o gramado verde, imaginamos a princípio que vários animais haviam sido mortos, mas ao examinarmos os restos mais de perto, descobrimos que toda essa matança vinha de um daqueles monstros desajeitados, que tinha sido literalmente despedaçado por outra criatura talvez menor, mas muitíssimo mais feroz.

Os nossos dois professores sentaram-se absortos para discutir a respeito, examinando resto após resto. Todos mostravam marcas de dentes selvagens e garras enormes.

– O nosso julgamento ainda vai ficar em suspenso – disse o professor Challenger, com um enorme pedaço de carne esbranquiçada sobre o joelho. – As indicações seriam consistentes com a presença de um tigre-dente-de-sabre, como os que ainda se encontram entre as brechas das nossas cavernas primitivas, mas a criatura avistada era sem dúvida maior e mais reptiliana. Pessoalmente, eu apostaria num alossauro.

– Ou num megalossauro – Summerlee emendou.

– Isso mesmo. Esse é o caso de algum desses grandes dinossauros carnívoros. Entre eles estão os mais terríveis tipos de vida animal que já amaldiçoaram a terra ou abençoaram um museu – Challenger soltou uma sonora gargalhada de sua própria presunção, pois, embora tivesse pouco senso de humor, o mais grosseiro gracejo de seus próprios lábios sempre o fazia vibrar de alegria.

– Quanto menos barulho, melhor – lorde Roxton disse, com secura. – Não sabemos quem ou o que pode estar perto de nós. Se essa fera voltar para o café da manhã e nos pegar aqui, não teremos motivos para rir. A propósito, que marca é essa na pele do iguanodonte?

Na pele opaca, escamosa e cor de ardósia, em algum lugar acima do ombro, havia um singular círculo negro de alguma substância parecida com betume. Nenhum de nós poderia sugerir o que aquilo significava, embora Summerlee afirmasse que havia visto algo similar num filhote dois dias antes. Challenger não disse nada, mas fez pose e ficou todo empolado, como se estivesse pronto para dar a explicação, de modo que, por fim, lorde John pediu diretamente a opinião dele.

– Se vossas senhorias graciosamente me permitirem que eu abra a minha boca, ficarei feliz em expressar os meus sentimentos – ele disse, com ironia afetada. – Não tenho o hábito de ser levado a sério da mesma maneira que parece habitual para vossas senhorias. Eu não estava ciente de que seria necessário pedir a vossa permissão antes de sorrir por causa de um gracejo inofensivo.

Enquanto não foi atendido em seu pedido de desculpas, o nosso amigo ressentido não se acalmou. Quando, por fim, seus sentimentos de contrariedade foram desforrados, ele se dirigiu a nós, por algum tempo, sentado num tronco de árvore caído, falando, como costumava fazer, como se estivesse dando informações preciosas numa aula para uma plateia de mil alunos.

— Com relação à mancha – ele disse –, estou inclinado a concordar com o meu amigo e colega, professor Summerlee, de que se trata de uma marca de betume. Como este platô é, por sua própria natureza, altamente vulcânico e como o betume é uma substância que se associa a forças plutônicas, não posso duvidar de que essa substância exista em estado líquido livre e que as criaturas possam ter entrado em contato com ela. Um problema muito mais importante é a questão da existência de um monstro carnívoro, quando sabemos que esse platô não é maior do que um condado médio da Inglaterra: dentro deste espaço confinado, um certo número de criaturas, principalmente de tipos que desapareceram do mundo lá embaixo, vivem juntos há incontáveis séculos. Agora, está bem claro para mim que, num período tão longo, seria de se esperar que as criaturas carnívoras, multiplicadas sem controle, tivessem esgotado seu suprimento de alimentos e tivessem sido compelidas a modificar seus hábitos carnívoros, ou morreriam de fome. Estamos vendo que não foi assim. Podemos apenas imaginar, portanto, que o equilíbrio da natureza é preservado por algum controle que limita o número dessas criaturas ferozes. Um dos muitos problemas interessantes que aguardam solução da nossa parte, é descobrir qual poderia ser essa limitação e como ela opera. Atrevo-me a crer que teremos alguma oportunidade futura para estudar mais de perto os dinossauros carnívoros.

— E eu me atrevo a crer que não teremos – observei.

O mestre apenas franziu suas grandes sobrancelhas, como um professor primário faria diante da observação irrelevante de um menino travesso.

— Talvez o professor Summerlee tenha alguma observação a fazer – ele apenas respondeu.

Os dois sábios alçaram voo juntos a uma atmosfera científica rarefeita, onde as possibilidades da modificação de uma taxa de natalidade eram pesadas contra o declínio da oferta de alimentos como um freio na luta pela sobrevivência.

Naquela manhã, mapeamos uma pequena porção do platô, evitando o pântano dos pterodátilos e mantendo-nos a leste do nosso riacho, em vez de a oeste. Nessa direção, a região ainda era densamente arborizada, com uma vegetação rasteira tão cerrada que o nosso avanço foi muito lento.

Até aqui, tenho falado apenas dos terrores da Maple White Land, mas havia o outro lado da moeda, já que durante toda aquela manhã vagamos por entre belíssimas flores, principalmente, como observei, as de cor branca ou amarela, sendo estas, como nossos professores explicaram, as primitivas tonalidades das flores. Em muitos lugares o chão ficava totalmente coberto por elas e enquanto caminhávamos afundando até o tornozelo naquele tapete maravilhoso, o perfume era quase inebriante por sua doçura e intensidade. Abelhas, do mesmo tipo das inglesas, zumbiam por toda parte ao nosso redor. Muitas árvores sob as quais passamos tinham os ramos carregados de frutas, algumas nos eram familiares, enquanto outras variedades eram desconhecidas. Observando quais delas haviam sido bicadas pelas aves, evitávamos qualquer perigo de envenenamento e, assim, fomos acrescentando uma deliciosa variedade de frutas à nossa reserva de alimentos. Na selva que atravessamos, havia numerosos caminhos de difícil acesso, feitos pelas feras e, nos lugares mais pantanosos, avistamos uma profusão de pegadas estranhas, inclusive muitas de iguanodontes. Uma vez, em um bosque, observamos várias dessas grandes criaturas pastando, e lorde John, com seu binóculo, pôde relatar que elas também estavam manchadas de betume, embora em posições diferentes daquela que havíamos examinado pela manhã. Não conseguíamos entender o significado desse fenômeno.

Vimos muitos animais pequenos como porcos-espinhos, um tamanduá escamoso e um porco selvagem, de colorido malhado e com longas presas curvas. Uma vez, através de uma brecha nas árvores, vimos a escarpa clara de uma colina verdejante a uma certa distância, onde um animal de grande porte de cor parda viajava a um ritmo considerável. Passou tão rápido que não conseguimos identificá-lo, mas se fosse um cervo, como lorde John afirmou, seria tão grande quanto aqueles monstruosos alces irlandeses, que ainda são desenterrados de tempos em tempos nos pântanos da minha terra natal.

Depois da misteriosa visita feita ao nosso acampamento, sempre voltávamos para lá apreensivos. Dessa vez, porém, encontramos tudo em ordem.

Nessa noite, tivemos uma grande discussão sobre a nossa situação atual e os nossos planos futuros. Vou tratar desses assuntos com detalhes, pois isso nos levou a um novo ponto de partida, que nos capacitou a obter um conhecimento mais completo da Maple White Land do que poderíamos ter conseguido em muitas semanas de exploração.

Foi Summerlee quem começou a falar, abrindo o debate. O dia inteiro ele tinha demonstrado um humor belicoso e, então, diante de alguma observação de lorde John sobre o que deveríamos fazer no dia seguinte, toda sua amargura veio à tona.

– O que deveríamos estar fazendo hoje, amanhã, o tempo todo – ele começou a falar – seria encontrar alguma maneira de sair dessa armadilha em que caímos. Vocês só espremeram a cabeça para entrar nesse lugar. Eu quero dizer que deveríamos estar planejando como sair daqui.

– Estou surpreso, senhor – Challenger retrucou, afagando a majestosa barba –, que um homem de ciência se comporte de modo tão repugnante. Você está num território que oferece ao naturalista ambicioso incentivos como jamais houve desde que o mundo começou! Mas você sugere deixá-lo antes que tenhamos adquirido sequer o conhecimento mais superficial dele ou de seu conteúdo. Eu esperava algo melhor da sua parte, professor Summerlee.

– Você deve se lembrar – Summerlee respondeu, amargamente – que eu tenho em Londres uma turma grande que atualmente está à mercê de um substituto, um *locum tenens*[8], extremamente ineficiente. Isso torna a minha situação diferente da sua, professor Challenger, já que, até onde sei, você jamais foi encarregado de qualquer trabalho educacional responsável.

---

8   *Locum tenens* é um termo em latim que significa "substituto" ou "suplente". (N. E.)

– Muito bem – Challenger replicou. – Sempre achei um sacrilégio desviar um cérebro capaz da mais alta pesquisa original para fazer qualquer objetivo menor. Foi por isso que virei o rosto para qualquer compromisso de ensino que me foi oferecido.

– Por exemplo? – Summerlee perguntou, com um sorriso de escárnio no rosto.

Lorde John se apressou em mudar o rumo da conversa.

– Devo dizer – ele emendou – que penso que seria muito ruim voltar a Londres antes de saber muito mais a respeito deste lugar.

– Eu jamais poderia pensar em entrar no escritório da chefia do meu jornal para enfrentar o velho McArdle – afirmei *(você vai desculpar a franqueza deste relatório, não é verdade, senhor?)*. – Ele jamais me perdoaria por abandonar uma reportagem assim, com possibilidades inesgotáveis de um valor inestimável a serem exploradas. Além disso, tanto quanto eu posso me lembrar, essa discussão não faz sentido, já que não poderíamos descer, mesmo se quiséssemos.

– O nosso jovem companheiro compensa em alguma medida muitas de suas evidentes lacunas intelectuais pelo bom senso comum primitivo – observou Challenger. – Os interesses de sua deplorável profissão são irrelevantes para nós, mas, como ele observa, não podemos desistir de modo algum. Portanto, essa discussão é um desperdício de energia.

– É um desperdício de energia fazer qualquer outra coisa – resmungou Summerlee atrás da fumaça do cachimbo. – Deixe-me lembrá-los de que chegamos aqui com uma missão perfeitamente definida, que nos foi confiada na reunião do Instituto de Zoologia de Londres. Essa missão era para testar a veracidade das declarações do professor Challenger, declarações essas, devo admitir, que agora estamos em posição de endossar, pois o nosso objetivo imediato foi realizado. Quanto aos detalhes a serem trabalhados a respeito deste platô, são tantos que apenas uma grande expedição, com equipamentos muito especiais, poderia dar conta. Se tentarmos fazer isso por nós mesmos, o único resultado possível será nunca voltarmos com a importante contribuição para a ciência que já conquistamos. O professor Challenger criou meios para nos trazer a este platô, que parecia ser inacessível. Acho que agora devemos convocá-lo para usar a mesma engenhosidade para nos levar de volta ao mundo de onde viemos.

Confesso que, quando Summerlee deu sua opinião, ela me pareceu totalmente razoável e inclusive o Challenger foi afetado pela consideração de que seus inimigos jamais se declarariam derrotados se a confirmação de suas declarações em tempo algum chegasse aos que duvidavam delas.

– À primeira vista, o problema da descida é insuperável – ele ponderou –, mas ainda não posso duvidar que o intelecto possa resolvê-lo. Estou preparado para concordar com o nosso colega que uma estadia prolongada em Maple White Land atualmente não é aconselhável, e que a questão do nosso retorno terá que ser enfrentada em breve. Por outro lado, eu me recuso a partir até que tenhamos feito, pelo menos, um exame superficial desta região, para que possamos levar de volta conosco algo parecido com um mapa.

O professor Summerlee bufou de impaciência.

– Já passamos dois longos dias em exploração – ele resmungou – e não sabemos mais da geografia real desse lugar do que quando começamos. É claro que é tudo densamente arborizado e levaríamos meses descobrindo e aprendendo as relações de uma parte com a outra. Se houvesse um pico central, seria diferente, mas tudo se inclina para baixo, pelo que pudemos ver. Quanto mais longe formos, menor será a probabilidade de obtermos uma visão geral.

Foi nesse momento que eu tive a minha inspiração. Por acaso, os meus olhos foram parar no enorme tronco nodoso da árvore *gingko biloba* que lançava seus enormes galhos sobre nós. Certamente, se o tronco dela excedia em tamanho todos os outros, o mesmo devia acontecer com a altura. Se a borda do platô fosse de fato o ponto mais alto, então por que essa árvore gigantesca não se constituiria numa torre de vigia que abrangesse o território inteiro? Ora, desde os tempos das minhas brincadeiras arriscadas de moleque na Irlanda, eu tenho sido um hábil e ousado alpinista. Os meus companheiros podiam ser meus mestres nas rochas, mas eu sabia que seria imbatível no meio daqueles galhos. Bastava erguer os meus pés até o patamar mais baixo do gigantesco vegetal que, então, seria realmente estranho se eu não conseguisse chegar à copa. Os meus companheiros ficaram encantados com essa ideia.

– O nosso jovem companheiro – Challenger comentou, inflando as maçãs vermelhas de suas bochechas – é capaz de realizar esforços acrobáticos que seriam impossíveis para um homem de constituição mais sólida, embora possivelmente dono de maior conhecimento. Aplaudo a sua decisão.

– Por São Jorge, meu caro, você acertou em cheio o alvo! – lorde John disse, dando tapas nas minhas costas. – Não posso imaginar como não pensamos nisso antes! Só nos resta mais de uma hora de luz do dia, mas se pegar o seu caderno, talvez você consiga fazer um esboço do lugar. Se colocarmos essas três caixas de munição embaixo do galho, posso facilmente levantar você até lá.

Ele ficou em pé sobre as caixas enquanto eu estava de frente para o tronco, subindo aos poucos, então Challenger avançou e me empurrou com tanta força com sua enorme mão que quase me arremessou na árvore. Segurando o galho com os dois braços, eu me arrastei com os pés até apoiar primeiro o corpo e depois os joelhos. Acima da minha cabeça, encontrei três excelentes ramos, que brotavam como enormes degraus de uma escada, além de um emaranhado de galhos muito convenientes, de modo que subi com tanta velocidade que logo perdi de vista o chão e não via nada além de folhagem embaixo de mim. De vez em quando eu encontrava algum obstáculo, como uma trepadeira de três metros. Mas fiz excelentes progressos e o tom de voz explosivo do Challenger parecia estar a uma grande distância abaixo de mim. A árvore era, no entanto, enorme e, olhando para cima, eu não via nenhuma abertura nas folhas acima da minha cabeça. Diante de mim havia um amontoado espesso como um arbusto, que parecia ser um parasita em cima do galho em que eu estava enganchado. Inclinei a cabeça para ver como era ao redor e quase caí da árvore de surpresa e horror com o que me deparei.

Um rosto olhava para o meu, a uma distância de no máximo meio metro. A criatura estava agachada atrás do parasita e olhou ao redor no mesmo instante em que eu o fiz. Era um rosto humano – ou pelo menos era muito mais humano do que qualquer macaco que eu já tinha visto – comprido, esbranquiçado, manchado de espinhas, com o nariz achatado, a mandíbula inferior protuberante, com bigodes grosseiros como cerdas ao redor do queixo. Os olhos, abaixo de sobrancelhas grossas e pesadas, eram bestiais e ferozes, e quando a criatura abriu a boca para rosnar, o que soou como uma maldição para mim, observei que tinha dentes caninos curvos e afiados. Por um instante, li apenas ódio e ameaça em seu olhar maligno, mas com a rapidez de um raio, uma expressão dominada pelo medo tomou conta desses olhos. No meio de um estrondo de galhos quebrados, a criatura mergulhou descontroladamente no emaranhado verdejante. Então, vislumbrei um corpo peludo como o de um porco avermelhado, que depois desapareceu num redemoinho de folhas e galhos.

– Qual foi o problema? – Roxton gritou lá de baixo. – Algo errado com você?

– Vocês viram isso? – gritei, abraçando o galho e com todos os meus nervos formigando.

– Escutamos um barulho, como se o seu pé tivesse escorregado. O que aconteceu?

Fiquei tão chocado com a aparição súbita e estranha desse homem macaco que hesitei entre voltar ou não para contar a minha experiência aos meus companheiros. Mas eu já estava tão longe na grande árvore que me pareceu muito humilhante ter que retornar sem cumprir a minha missão.

Depois de uma longa pausa para recuperar o fôlego e a coragem, continuei a minha escalada. Uma vez, apoiei todo o meu peso num galho podre e fiquei pendurado por alguns segundos. Porém, de um modo geral, era muito fácil subir. Gradualmente, a folhagem foi afinando ao meu redor e eu tomei ciência, pelo vento em meu rosto, que estava acima de todas as demais árvores da floresta. Decidi, no entanto, não olhar ao redor antes de alcançar o ponto mais alto. Então, continuei até chegar à altura em que o galho mais elevado começou a se curvar sob o meu peso. Ali me acomodei numa conveniente forquilha e, equilibrando-me com segurança, passei a contemplar o maravilhoso panorama daquela estranha terra em que nos encontrávamos.

O sol começou a desaparecer atrás da linha do horizonte e o entardecer chegou particularmente brilhante e claro, de modo que toda a extensão do platô estava bem visível abaixo de mim. A partir dessa altura, o lugar tinha um contorno oval, com cerca de cinquenta quilômetros de comprimento, por uns trinta de largura. Seu formato geral era de um funil pouco profundo, com todos os lados descendo para um lago de tamanho considerável no centro. Esse lago teria uns quinze quilômetros de diâmetro e parecia muito verde e belo sob a claridade do fim da tarde, com uma franja grossa de bambus nas bordas e a superfície quebrada por vários bancos de areia amarelados que brilhavam em tons dourados sob o sol suave. Havia uma série de figuras compridas e escuras, que eram grandes demais para serem jacarés e longas demais para serem canoas, nas bordas dessas manchas de areia. Com o binóculo, eu pude ver claramente que eram seres vivos, mas de que natureza seriam, eu não conseguia imaginar.

Do lado do platô em que estávamos, encostas de bosques, com clareiras ocasionais, estendiam-se por oito ou nove quilômetros até o lago central. Eu podia ver aos meus pés a clareira dos iguanodontes e mais adiante uma abertura redonda nas árvores que marcava o pântano dos pterodátilos. Ao lado, de frente para mim, o platô apresentava um aspecto muito diferente. Lá, as falésias de basalto do lado de fora reproduziam-se no interior, formando uma escarpa de cerca de sessenta metros de altura, com um declive arborizado abaixo dela. Ao longo da base desses penhascos vermelhos, a alguma distância acima do solo, com o binóculo pude ver uma série de buracos escuros, que imaginei serem entradas de cavernas. Na abertura de uma dessas coisas, algo branco estava brilhando, mas não consegui entender o que era. Fiquei sentado mapeando a região até o sol se pôr e ficar tão escuro que eu não conseguia mais distinguir detalhes. Então, desci para onde os meus companheiros me esperavam ansiosamente na raiz da grande árvore. Pela primeira vez eu era o herói da expedição. Sozinho eu tive a ideia e sozinho a executei! E lá estava o mapa que poderia nos poupar um mês de sondagens às cegas por entre perigos desconhecidos. Cada um deles apertou solenemente a minha mão.

Mas antes de discutir os detalhes do meu mapa, tive de contar a eles sobre o meu encontro com o homem macaco entre os ramos.

— Ele estava lá o tempo todo — eu disse.

— Como sabe disso? — lorde John perguntou.

— Porque em nenhum momento deixei de ter a sensação de que algum ser maligno nos observava. Comentei isso com o professor Challenger.

— O nosso jovem companheiro certamente me falou algo do tipo. Ele também é o único entre nós dotado desse temperamento celta que o torna sensível a tais impressões.

— Toda essa teoria da extrassensorial... — Summerlee começou a provocar, enchendo o cachimbo.

— É muito vasta para ser discutida agora... — Challenger retrucou, com firmeza. — Diga-me, então — ele acrescentou, com o ar de um pastor dirigindo-se a uma escola dominical — por acaso observou se a criatura era capaz de cruzar o polegar na palma da mão?

— Não, de fato.

— Tinha rabo?

— Não.

— O pé era preênsil?

— Não creio que poderia ter fugido tão rapidamente entre os galhos se não conseguisse agarrar com os pés.

— Na América do Sul existem, se não me falha a memória (você poderá confirmar a observação, professor Summerlee), trinta e seis espécies de macacos, mas um macaco antropoide é desconhecido. É claro, porém, que ele deve existir nessa região e que não se trataria de uma variedade peluda, como os gorilas, que jamais foi vista na África ou no Oriente. (Olhando para ele, senti vontade de observar que eu tinha visto um primo dele em primeiro grau no Zoológico de Kensington...) Esse é de um tipo que tem bigodes e de cor indefinida, com essa última característica apontando para o fato de ele passar os dias em reclusão arbórea. A questão que temos para resolver é se ele está mais próximo do macaco ou do homem e, no segundo caso, se estaria perto do que é vulgarmente conhecido como "elo perdido". A resolução desse problema é o nosso dever imediato.

– Não é nada disso – Summerlee disse, abruptamente. – Agora que, através da inteligência e criatividade do senhor Malone (não posso deixar de citar essas palavras) temos um mapa, o nosso primeiro e único dever imediato é sairmos sãos e salvos deste lugar medonho.

– O cadinho da civilização! – Challenger lamentou.

– O barril de pólvora da civilização, senhor. A nossa tarefa é registrar o que vimos, deixando a exploração complementar para os outros. Vocês concordaram antecipadamente que o senhor Malone faria o mapa para nós.

– Pois bem! – Challenger disse. – Admito que a minha mente ficará mais à vontade quando eu tiver certeza de que o resultado da nossa expedição foi transmitido aos nossos amigos. Ainda não sei como sairemos deste lugar, mas até agora não existiu questão que o meu cérebro inventivo não fosse capaz de resolver, e prometo a vocês que amanhã estarei com a minha atenção voltada para o problema da nossa descida.

E, assim, o assunto foi suspenso temporariamente, mas nessa mesma noite, à luz da fogueira e de uma única vela, o primeiro mapa do mundo perdido foi elaborado. Cada detalhe que eu observei a partir da minha torre de vigia foi desenhado em seu respectivo lugar.

Por um momento, o lápis de Challenger pairou sobre o grande espaço em branco que marcava o lago.

– Como vamos chamá-lo? – ele indagou.

– Por que não se arrisca a perpetuar o seu próprio nome? – Summerlee sugeriu, com seu habitual toque de azedume.

– Confio, senhor, que o meu nome seja destinado à posteridade por inspiração de outras razões, mais referentes à minha pessoa – Challenger respondeu, sério. – Qualquer ignorante pode registrar sua memória insignificante, colocando-a numa montanha ou num rio. Eu não preciso de nenhum monumento assim.

Summerlee, com seu sorriso torto, estava prestes a fazer algum novo ataque quando lorde John se apressou para intervir.

– Cabe a você, meu caro, batizar o lago – ele disse. – Você o viu primeiro e, por São Jorge, se quiser escolher "Lago Malone", ninguém teria mais direito.

– Sem dúvida. Vamos deixar o nosso jovem companheiro batizá-lo – Challenger concordou.

– Então – eu disse, corando – eu me atrevo a pedir que o chamem de "Lago Gladys".

– Você não acha que "Lago Central" seria mais descritivo? – Summerlee observou.

– Ainda prefiro "Lago Gladys".

Challenger olhou para mim com simpatia e balançou a cabeça fingindo desaprovação.

– Jovens sempre serão jovens... – ele riu. – Então, que seja o "Lago Gladys"!

Foi assustador na floresta

Eu já disse, ou talvez não tenha dito, pois a minha memória anda me pregando peças muito tristes ultimamente, que fiquei muito orgulhoso quando três homens como os meus companheiros me agradeceram por resolver ou, pelo menos, por ter ajudado bastante a resolver, essa situação difícil. Como o mais jovem da turma, não apenas em idade, mas em experiência, caráter, conhecimentos e tudo o que contribui na formação de um homem, eu havia permanecido ofuscado desde o início, mas agora tinha chegado a minha vez. Eu me reconfortava com tal pensamento. Ah! Como a soberba precede a ruína! Aquele pequeno brilho de satisfação pessoal, que aumentou a minha autoconfiança, naquela mesma noite me levaria à mais terrível experiência de toda a minha vida, terminando com um choque que ainda me deixa de coração consternado sempre que penso nisso.

Aconteceu assim. Eu fiquei excessivamente animado com a aventura da árvore e parecia impossível pegar no sono. Summerlee montava guarda, sentado junto da nossa pequena fogueira. Ele era uma figura singular, arqueado, com o rifle sobre os joelhos e a pontiaguda barbicha de bode abanando a cada aceno da cabeça cansada. Lorde John estava em silêncio, envolto no poncho sul-americano que usava, enquanto Challenger roncava como o trovão de uma tempestade que reverberava pela floresta. A lua cheia brilhava intensamente e o ar estava refrescante. Que bela noite para uma caminhada! E, então, de repente veio o pensamento: "Por que não?". Que tal se eu saísse devagar, descesse até o lago central e voltasse antes do café da manhã, trazendo alguns registros do lugar? Não seria eu, nesse caso, considerado um companheiro ainda mais digno? Então, se o Summerlee resolvesse a parada, encontrando algum meio de fuga, poderíamos voltar a Londres com informações em primeira mão sobre a misteriosa parte central do platô, a qual somente eu teria adentrado, entre todos os homens. Pensei em Gladys dizendo: "Oportunidades de atos heroicos ocorrem o tempo todo à nossa volta". Parecia que eu escutava a voz dela falando isso. Também pensei no McArdle. Que reportagem de página inteira para o jornal! Que alavanca para subir na carreira! Ser um enviado especial na próxima grande guerra poderia estar ao meu alcance. Agarrei uma arma, enchi os bolsos de cartuchos, abri o portão de espinhos da nossa *zareba* e saí rapidamente. O meu último olhar me mostrou Summerlee inconsciente, a mais fútil das sentinelas, ainda cochilando, balançando a cabeça como um brinquedo mecânico esquisito, diante da claridade latente do rescaldo da fogueira.

Eu não tinha avançado cem metros, quando comecei a me arrepender profundamente da minha precipitação. Creio ter dito em algum lugar desta crônica que sou imaginativo demais para ser um homem realmente corajoso, mas que tenho um medo insuperável de parecer medroso. Foi essa força que então me levou adiante. Eu simplesmente não podia voltar atrás sem nada. Mesmo que os meus companheiros não tivessem sentido a minha falta e jamais soubessem da minha fraqueza, ainda assim haveria em minha própria alma uma censura interior intolerável. Não obstante, estremeci diante da situação em que me encontrava, e naquele momento teria dado tudo o que tinha para me livrar honrosamente de toda aquela história

Foi assustador na floresta. As árvores cresciam tão densas e sua folhagem se espalhava tão amplamente que eu não conseguia ver nenhum raio da luz da lua, exceto que, aqui e ali, os galhos altos faziam uma filigrana emaranhada contra o céu estrelado. Conforme meus olhos foram se acostumando com a obscuridade, descobri que havia diferentes graus de escuridão entre as árvores. Algumas áreas eram vagamente visíveis, mas entre elas havia manchas sombreadas, enegrecidas como carvão, como entradas de cavernas e das quais eu me afastava horrorizado ao passar. Pensei no grito desesperado do iguanodonte atormentado, aquele grito terrível que ecoou pela floresta. Também pensei no vislumbre que tive à luz da tocha de lorde John, daquele focinho inchado, verrugoso e sanguinário. Naquele momento, eu estava em seu terreno de caça. A qualquer instante esse monstro medonho sem nome podia surgir das sombras. Parei e, pegando um cartucho no bolso, abri a culatra da minha arma. Quando toquei na alavanca, o meu coração saltou dentro de mim. Era a carabina, e não o rifle, que eu tinha levado!

Mais uma vez o impulso para voltar me assolou. Agora, certamente, eu tinha uma excelente razão para o meu fracasso, e ninguém pensaria mal de mim, mas novamente o meu orgulho tolo lutava contra essa palavra: eu não podia e não devia fracassar. Afinal de contas, o meu rifle provavelmente teria sido tão inútil quanto um canhão contra os perigos que talvez eu encontrasse. Se eu fosse voltar ao acampamento para trocar de arma, dificilmente poderia ter esperanças de entrar e sair de novo sem ser visto. Nesse caso, teria que dar explicações e a tentativa de explorar o lugar não seria mais exclusivamente minha. Depois de hesitar um pouco, juntei a minha coragem e continuei no caminho, com a minha arma inútil embaixo do braço.

A escuridão da floresta era terrível, mas pior ainda era a silenciosa inundação do luar embranquecido na clareira dos iguanodontes. Escondido entre os arbustos, olhei para lá. Nenhuma das grandes feras brutas estava à vista. Talvez a tragédia que se abatera sobre uma delas as tivesse expulsado de sua zona de alimentação. Na noite nublada e prateada, não vi sinais de nenhuma coisa viva. Tomando coragem, portanto, deslizei rapidamente por ali e pela mata, no lado mais distante, para seguir mais uma vez o riacho que era meu guia. Era um companheiro animado, gorgolejava e ria enquanto fluía, como o meu velho e querido regato de trutas de West Country, onde eu pescava à noite na infância. Ao segui-lo para baixo, daria no lago e, desde que o seguisse de volta, daria no acampamento. Muitas vezes eu o perdia de vista por causa da vegetação emaranhada da selva, mas o ruído cristalino de sua correnteza jamais ficava fora do alcance dos meus ouvidos.

Quando se desce a encosta, a mata torna-se mais fina e os arbustos e bosques, com árvores altas e ocasionais, tomam o lugar da floresta. Então, eu pude fazer um bom progresso e podia ver sem ser visto. Passei perto do pântano dos pterodátilos e, enquanto fazia isso, com um chacoalhar de asas seco e áspero, uma dessas grandes criaturas – com pelo menos seis metros de ponta a ponta – ergueu-se de algum lugar perto de mim e voou alto no ar. Quando passou pela face da lua, a luz brilhou claramente através de suas asas membranosas. Parecia um esqueleto voador contra aquele brilho branco, tropical, do céu. Eu me abaixei entre os arbustos, pois sabia, por experiências passadas, que com um único grito a criatura poderia trazer uma centena de suas companheiras repugnantes sobre a minha cabeça. Não ousei retomar a minha jornada até a ave se empoleirar novamente.

Até então a noite estava extremamente quieta, mas conforme avançava, tomei conhecimento de um ruído surdo e estrondoso, um murmúrio contínuo, em algum lugar à minha frente, que foi ficando mais alto à medida que eu prosseguia, até finalmente chegar bem perto de mim. Quando parei, o som permaneceu constante, de modo que parecia vir de alguma causa estacionária, que lembrava uma chaleira fervendo ou o borbulhar num caldeirão. Logo cheguei à fonte do barulho, pois no centro de uma pequena clareira encontrei um lago, ou uma lagoa, pois não era maior do que a bacia da fonte da Trafalgar Square, de alguma coisa preta como breu, cuja superfície subia e descia, conforme grandes bolhas de gás estouravam. O ar acima da lagoa tremulava com o calor e a terra ao redor estava tão quente que eu quase não suportava encostar a minha mão nela. Ficou claro que a grande erupção vulcânica que havia levantado esse estranho platô tantos anos antes ainda não havia gasto inteiramente suas forças. Rochas enegrecidas e montes de lava eu já havia notado por toda parte antes, em meio à luxuriante vegetação que as cobria, mas essa poça de betume no meio da selva era o primeiro sinal de que ainda existia atividade vulcânica presente nas encostas da antiga cratera. Não tive tempo de examiná-la melhor, pois precisava me apressar para regressar ao acampamento pela manhã.

Foi um passeio assustador, que permanecerá comigo enquanto eu tiver memória. Nas grandes clareiras iluminadas pelo luar, eu me esgueirei entre as sombras das margens. Na selva, rastejei em frente, parando com o coração batendo forte sempre que escutava, como costumava acontecer, o estrondo de galhos quebrados, quando algum animal selvagem passava. De vez em quando, grandes sombras surgiam e desapareciam instantaneamente, sombras enormes e silenciosas que pareciam espreitar sobre patas acolchoadas. Quantas vezes parei com intenção de voltar! Mas, ainda assim, todas as vezes o meu orgulho superou o meu medo e me enviou de novo, até que o meu objetivo fosse alcançado...

Por fim (o meu relógio mostrou que era uma da manhã), vi o brilho da água em meio às clareiras da selva e, dez minutos depois, cheguei aos bambus na beira do lago central. Eu estava morrendo de sede, então me deitei e tomei um longo gole daquela água pura e fresca. Reparei que esse local se abria desde um caminho largo, com muitas pegadas onde eu me encontrava, de modo que ali claramente era um bebedouro dos animais. Perto da margem havia um enorme bloco de lava isolado. Subi até lá e, deitado no topo, tive uma excelente visão em todas as direções.

A primeira coisa que vi me encheu de espanto. Quando descrevi a vista do topo da grande árvore, eu disse que podia ver no penhasco mais distante várias manchas escuras, que pareciam ser entradas de cavernas. Agora, quando olhei para esses mesmos penhascos, vi discos de luz em todas as direções, com manchas claras e bem definidas, que pareciam escotilhas na escuridão. Por um momento pensei que fosse o brilho da lava de alguma ação vulcânica, mas isso não poderia acontecer assim. Qualquer ação vulcânica certamente estaria na cavidade e não no alto, entre as rochas. Qual seria então a alternativa? Só poderia ser algo insólito e, certamente, deveria ser. Aqueles pontos avermelhados deviam ser o reflexo de fogueiras dentro das cavernas e de fogueiras que só poderiam ter sido acesas pela mão do homem! Então, havia seres humanos no platô. Quão gloriosamente a minha expedição se justificava! Ali estava a notícia que deveríamos levar para Londres!

Por um longo tempo, permaneci deitado, observando essas manchas de luzes vermelhas e trêmulas. Suponho que elas estivessem a uns quinze quilômetros de distância de mim, mas mesmo a essa lonjura era possível notar que, de tempos em tempos, elas brilhavam ou eram obscurecidas quando alguém passava diante delas. O que eu não daria para poder rastejar até lá, para espiar e levar de volta aos companheiros alguma notícia sobre a aparência e o caráter da raça que vivia num lugar tão estranho! Isso, por enquanto, estava fora de cogitação, mas certamente não poderíamos deixar o platô antes de obtermos algum conhecimento definitivo sobre o assunto.

O Lago Gladys – o "meu" próprio lago – estendia-se como uma folha prateada de mercúrio diante de mim, com a lua refletida brilhando no centro. Era raso, pois em muitos lugares vi bancos de areia baixos que se projetavam acima da água. Em toda a superfície eu ainda podia ver sinais de vida, às vezes meros anéis e ondulações na água, às vezes o reflexo luminoso no ar de algum peixe grande, às vezes o dorso arqueado, cor de ardósia, de algum monstro que passava. Uma vez, em cima de um banco de areia amarelado, vi uma criatura parecida com um enorme cisne, de corpo desajeitado, pescoço alto e flexível, arrastando-se pela margem. No mesmo momento, a criatura mergulhou e, por algum tempo, pude ver seu pescoço arqueado e sua cabeça pontuda ondulando sobre a água. Então, eu não a vi mais.

A minha atenção logo se desviou dessas visões distantes e voltou-se para o que acontecia aos meus pés. Duas criaturas, semelhantes a enormes tatus, tinham descido até o local de beber água e estavam agachadas à beira do lago, com suas línguas longas e flexíveis como fitas vermelhas que entravam e saíam enquanto lambiam. Um gigantesco cervo, com chifres em ramos, uma criatura magnífica que se portava como um rei, desceu com sua corça e dois filhotes, para saciar a sede ao lado dos tatus.

Nenhum cervo assim existe em qualquer outro lugar da terra, pois os alces ou os grandes cervos que eu vi dificilmente alcançariam a altura de seus ombros. Logo, ele bufou em sinal de advertência e foi embora com sua família no meio dos bambus, enquanto os tatus também correram para se abrigar. Um animal recém-chegado, ainda mais monstruoso, descia pelo caminho.

Por um momento, fiquei imaginando onde poderia ter visto aquela forma deselegante, arqueada para trás com franjas triangulares ao longo do dorso e com a cabeça estranha, parecida com uma ave, junto ao chão. Então, a fera virou para o meu lado. Era o estegossauro, a mesma criatura que Maple White esboçou em seu caderno de desenhos e que foi a primeira coisa a chamar a atenção do Challenger! Lá estava ele, talvez o mesmo espécime encontrado pelo artista americano. O chão tremia sob seu peso incrível e os goles de água que bebia ecoavam na noite tranquila. Por uns cinco minutos ele ficou tão perto da minha rocha que, esticando a mão, eu pude tocar nas horrendas placas ondulantes em seu dorso. Então, ele se arrastou para longe e desapareceu entre as pedras do caminho.

Olhando para o meu relógio de pulso, vi que eram duas e meia, portanto, hora de começar a minha jornada de retorno para o acampamento. Não havia dificuldades quanto à direção que eu deveria seguir para voltar, pois durante todo o tempo mantive o pequeno riacho à minha esquerda e ele se abriu para o lago central, a poucos metros de distância da pedra sobre a qual eu fiquei deitado. Assim, parti muito animado, pois senti que havia feito um bom trabalho e levava de volta um bom pacote de notícias para os meus companheiros. Em primeiro lugar, é claro, a visão das cavernas com fogueiras e a certeza de que eram habitadas por alguma raça de trogloditas, mas além disso, eu poderia contar a experiência no lago central. Eu podia provar que o lugar estava cheio de criaturas estranhas, pois tinha visto várias formas de animais terrestres de vida primitiva que não havíamos encontrado antes. Enquanto caminhava, refleti que poucos homens no mundo poderiam ter passado uma noite tão estranha, ou que teriam ampliado tanto o conhecimento humano no decorrer de uma jornada.

Subi a encosta, girando esses pensamentos na mente, a meio caminho do acampamento, quando um barulho estranho às minhas costas me trouxe de volta à realidade. Era algo parecido com um misto de ronco e grunhido, um ruído surdo, profundo, extremamente ameaçador. Evidentemente, havia alguma criatura estranha perto de mim, mas nada era visível, por isso apressei o passo em minha caminhada. Percorri alguns metros quando, de repente, o som se repetiu, ainda atrás de mim, mais alto e mais ameaçador do que antes. O meu coração ficou paralisado quando senti que uma criatura, fosse lá qual fosse, certamente estava no meu encalço. A minha pele gelou e o meu cabelo eriçou com esse pensamento. Que esses monstros se despedaçassem entre si fazia parte da estranha luta pela sobrevivência, mas que eles pudessem se voltar contra o homem moderno, que eles devessem deliberadamente rastrear e caçar o ser humano predominante, era uma ideia desconcertante e assombrosa. Lembrei-me novamente do focinho ensanguentado que vimos ao clarão da tocha de lorde John, como uma visão medonha do círculo mais profundo do inferno de Dante. Com os joelhos tremendo, eu me levantei e fixei os olhos arregalados no caminho enluarado atrás de mim. Tudo estava calmo como uma paisagem de sonho. Clareiras prateadas e manchas negras nos arbustos, foi tudo o que eu consegui enxergar. Então, do silêncio iminente e ameaçador veio mais uma vez aquele gemido profundo e rouco, bem mais alto e mais próximo do que da vez anterior. Já não havia mais dúvidas: alguma coisa seguia o meu rastro e se aproximava de mim a cada minuto.

Fiquei quieto como um homem paralisado, ainda olhando para o terreno que havia atravessado. Então, de repente, notei um movimento entre os arbustos na extremidade da clareira que eu acabara de passar. Uma grande sombra escura desenredou-se e saltou para o luar claro. Eu disse "saltou" propositalmente, pois a fera se locomovia como um canguru, saltando em posição ereta sobre suas poderosas patas traseiras, enquanto as dianteiras ficavam dobradas na frente dela. Era uma criatura de enorme tamanho e força, como um elefante em pé, mas seus movimentos, apesar do corpo avantajado, eram extremamente ágeis. Por um momento, quando vi sua forma, esperei que fosse um iguanodonte, que eu sabia se tratar de um animal inofensivo, mas, apesar da minha ignorância, logo percebi que era uma criatura muito diferente. Em vez da cabeça mansa em forma de cervo do grande vegetariano, comedor de folhas, com patas de três dedos, essa fera tinha um focinho largo e achatado, parecido com um sapo, como aquele animal que nos assustou em nosso acampamento. Seu grito feroz e a energia terrível empregada em sua perseguição obstinada me asseguravam que aquele era certamente um grande dinossauro carnívoro, um dos animais mais terríveis que já pisaram na face da terra. Quando a enorme fera saltava, caía sobre as patas dianteiras e aproximava o nariz do solo a cada vinte metros mais ou menos, farejando o meu rastro. Às vezes, por um instante me perdia, mas logo me encontrava de novo, saltando rapidamente para o caminho que eu havia tomado.

Mesmo agora, quando penso nesse pesadelo, a minha testa se enche de suor. O que eu podia fazer? Nas mãos, eu tinha aquela inútil arma de caça. Que ajuda eu teria daquilo? Olhei desesperado ao redor, em busca de uma pedra ou de uma árvore, mas eu estava num matagal espesso sem nada mais alto do que arbustos, sabendo que a criatura que estava atrás de mim poderia derrubar uma árvore comum como se fosse um bambu. A minha única chance possível seria a fuga, mas eu não conseguia me movimentar rapidamente sobre aquele chão áspero e acidentado. Então, olhei ao redor em desespero e vi um caminho bem demarcado e firme se estendendo à minha frente. Durante as nossas expedições, tínhamos visto várias veredas do mesmo tipo, feitas pela passagem de inúmeros animais selvagens. Talvez ao longo dele eu pudesse me proteger, pois era um corredor rápido, em excelentes condições. Livrando-me da arma inútil, eu me pus a correr por alguns metros como nunca em toda a minha vida, antes ou depois disso. Os meus braços e as minhas pernas doíam, o peito arfava. Senti que a minha garganta estouraria de dor por falta de ar. Mas, ainda assim, com aquele horror atrás de mim, eu corri,

corri e corri. Finalmente parei, mal conseguindo me mexer. Por um momento, pensei que o havia despistado. O caminho estava quieto atrás de mim. Então, de repente, com um impulso, o salto, o baque de patas gigantescas e a respiração ofegante de pulmões monstruosos, a fera mais uma vez me alcançou. Eu estava perdido.

Que louco eu fui, ao demorar tanto para fugir! Até então, a criatura havia me caçado pelo faro e sua movimentação era lenta, mas ela realmente me viu quando comecei a correr. A partir de então, passou a me caçar com a visão, pois o caminho lhe mostrava por onde eu havia seguido. Assim, quando virou numa curva, ela se deslocava em grandes saltos. O luar brilhava em seus enormes olhos salientes, na fileira de dentes enormes em sua boca aberta e na reluzente guarnição de suas garras nos antebraços curtos, mas poderosos. Com um grito de terror eu me virei e saí correndo desembestado pelo caminho. Atrás de mim, a respiração espessa e ofegante da criatura se tornava cada vez mais forte. Suas passadas pesadas estavam ao meu lado. A cada instante eu esperava ser alcançado pelas costas. Então, de repente, senti um estrondo e um vácuo: eu estava caindo no espaço! Então, tudo ficou escuro e em silêncio...

Quando recuperei a consciência, que, creio, não durou mais do que alguns minutos, senti um cheiro repulsivo, penetrante. Tateando na escuridão, encontrei algo que parecia um imenso pedaço de carne, enquanto a minha outra mão se fechava segurando um osso enorme. Acima de mim o céu aparecia num círculo estrelado, o que me mostrou que eu estava deitado no fundo de um poço seco. Cambaleando, lentamente eu me coloquei em pé, apalpando o corpo inteiro. Eu estava entorpecido e dolorido da cabeça aos pés, mas não havia nenhum membro que não se movesse, nenhuma articulação que não dobrasse. Quando as circunstâncias da minha queda voltaram ao meu cérebro confuso, abri os olhos aterrorizado, esperando ver aquela cabeça terrível recortada contra o céu pálido. Não havia sinal do monstro, nem eu ouvia qualquer som vindo de cima. Comecei a andar vagarosamente em todas as direções, tentando descobrir o que poderia ser aquele lugar estranho onde eu tão oportunamente havia sido lançado.

Era, como eu já disse, um buraco, com paredes bem inclinadas e o fundo plano, de cerca de seis metros de diâmetro. Esse fundo estava cheio de grandes pedaços de carne, dos quais a maioria estava no último estágio de decomposição. A atmosfera era putrefata, infecta. Depois de tropeçar várias vezes nesses montes de carnes podres, de repente eu me deparei com algo rígido e descobri uma estaca vertical firmemente fixada no centro do buraco, que era tão alta que eu não conseguia alcançar o topo com a mão e parecia estar coberta de graxa.

De repente, lembrei-me de que tinha no bolso uma caixa de fósforos. Acendendo um deles, finalmente consegui formar uma opinião sobre o local onde havia caído. Não poderia restar dúvida quanto à sua natureza: era uma armadilha feita por mãos humanas. A estaca, no centro, com três metros de altura, estava afiada na ponta superior e escurecida com o sangue rançoso das criaturas que haviam sido empaladas nela. Os restos espalhados por ali eram fragmentos de vítimas, as quais haviam sido cortadas para limpar a estaca para o próximo desafortunado que pudesse vir. Lembrei-me de que Challenger havia declarado que não poderiam existir seres humanos no platô, já que com suas armas frágeis eles não conseguiriam enfrentar os monstros que vagavam por ali. Mas agora ficava evidente que isso era possível sim. Em suas cavernas de boca estreita, os nativos, fossem quem fossem, mantinham refúgios nos quais os enormes sáurios não podiam entrar. Além disso, com seus cérebros desenvolvidos eles eram capazes de preparar armadilhas como essa, cobertas de galhos, nos caminhos demarcados pelo percurso dos animais, podendo assim destruí-los apesar de toda sua força e agilidade. O homem era sempre o mestre.

A parede inclinada do poço não era difícil de ser escalada por um homem ativo, mas hesitei bastante antes de me arriscar a ficar ao alcance da terrível criatura que quase me destruiu. Como eu poderia saber se ela não estaria me espreitando no arbusto mais próximo, esperando pelo meu reaparecimento? No entanto, eu me animei quando lembrei de uma conversa entre o Challenger e o Summerlee sobre os hábitos dos grandes sáurios. Ambos concordavam que os monstros praticamente não tinham cérebro, já que não haveria espaço para o raciocínio em suas minúsculas cavidades cranianas, e que se desapareceram no resto do mundo certamente foi por causa da própria estupidez, que tornava impossível a adaptação deles a mudanças de condições.

Assim, ficar esperando por mim significaria que a criatura teria entendido o que aconteceu comigo, e isso, por sua vez, provaria alguma capacidade de poder conectar causa e efeito. Com certeza, era muito provável que uma criatura sem cérebro, agindo unicamente por mero instinto predatório, desistisse da perseguição quando eu desaparecesse e que, depois de uma pausa de espanto, fosse embora em busca de outra presa. Subi até a beira do poço e olhei ao redor. As estrelas estavam desaparecendo, o céu clareava e o vento frio da manhã soprou agradavelmente no meu rosto. Não consegui perceber ou ouvir nada que tivesse a ver com o meu inimigo. Lentamente, saí e sentei-me por algum tempo no chão, pronto para voltar ao meu refúgio, caso algum perigo aparecesse. Então, tranquilizado pela absoluta quietude e pela claridade que aumentava, tomei coragem e comecei a voltar sorrateiramente pelo caminho que havia seguido na ida. Depois de um pequeno trecho, cheguei ao riacho que era meu guia e recolhi a arma. Então, olhando assustado para trás inúmeras vezes, fui para o acampamento.

Mas, de repente, aconteceu algo que me fez lembrar dos meus companheiros ausentes. No ar límpido da manhã ecoou ao longe a nota aguda e seca de um único tiro de rifle. Fiz uma pausa e escutei, mas não houve mais nada. Por um momento, fiquei chocado com a ideia de que algum perigo repentino poderia tê-los acometido, mas então uma explicação mais simples e natural veio à minha mente: agora era dia claro e sem dúvida a minha ausência havia sido notada. Eles teriam imaginado que eu estava perdido na floresta e dispararam esse tiro para me guiar de volta ao acampamento. É verdade que havíamos tomado uma decisão estrita contra disparos, mas se lhes parecia que eu poderia estar em perigo, certamente não hesitariam em fazer isso. Cabia a mim me apressar e voltar o mais depressa possível para tranquilizá-los.

Eu estava exausto, então o meu avanço não era tão rápido quanto eu desejaria, mas, finalmente, cheguei a regiões que conhecia. O pântano dos pterodátilos ficava à esquerda e à minha frente estava a clareira dos iguanodontes. Assim, alcancei o último cinturão de árvores que me separava do Forte Challenger. Soltei a voz num grito de alegria para acalmar o medo deles. Não obtive nenhuma resposta à minha saudação. O meu coração se abateu com esse silêncio agourento. Acelerei o passo até correr. A *zareba* surgiu diante de mim como eu a havia deixado, mas o portão estava aberto. Corri para dentro e na fria luz da manhã os meus olhos contemplaram um cenário desolador. Os nossos equipamentos estavam espalhados pelo chão numa confusão selvagem, os meus companheiros haviam desaparecido e, perto das cinzas fumegantes da nossa fogueira, a grama estava manchada com uma horrível poça de sangue carmesim.

Fiquei tão atordoado com esse choque repentino que, por um tempo, quase perdi a razão. Tenho a vaga lembrança, como em um sonho ruim, de correr pela floresta ao redor do acampamento vazio, chamando loucamente pelos meus companheiros. Nenhuma resposta retornou das sombras silenciosas. O inconcebível pensamento de que eu nunca mais poderia vê-los, de que eu poderia estar sozinho e abandonado naquele terrível lugar, sem nenhuma maneira possível de descer para o mundo lá embaixo, de que talvez eu tivesse que viver e morrer naquele território de pesadelos, me levou ao desespero. Eu estava a ponto de me descabelar e com a cabeça explodindo, tamanha a minha angústia. Só então, percebi que havia aprendido a me apoiar em meus companheiros, na serena autoconfiança do Challenger, na magistral e bem-humorada frieza de lorde John Roxton. Sem eles, eu me sentia como uma criança no escuro, desamparado e impotente. Eu não sabia para onde ir ou o que deveria fazer primeiro.

Depois de ficar sentado por um tempo em total perplexidade, preparei-me para tentar descobrir que súbita desgraça poderia ter acontecido aos meus companheiros. A desordem no acampamento mostrava que eles haviam sofrido algum tipo de ataque e o disparo do rifle sem dúvida marcava o momento em que isso ocorreu. O fato de ter havido apenas um tiro assinalava que tudo tinha acabado em um instante. Os fuzis ainda estavam no chão e um deles – o de lorde John – tinha o cartucho vazio na culatra. Os cobertores de Challenger e de Summerlee, ao lado da fogueira, sugeriam que eles estavam dormindo. As caixas de munição e de comida estavam espalhadas num tumulto selvagem, junto com os suportes das chapas fotográficas e as nossas desventuradas câmeras de fotografar, mas nada estava faltando. Por outro lado, todos os alimentos não enlatados, e eu me lembrei de que havia uma quantidade considerável deles, haviam desaparecido. Pelo visto, tinham sido animais e não nativos, os autores da invasão, pois certamente estes últimos não teriam deixado nada para trás.

Mas, se fossem animais, ou apenas um animal terrível, então o que havia acontecido com os meus companheiros? Um animal feroz certamente os teria destruído e abandonado seus restos mortais. É verdade que havia aquela horrenda poça de sangue, que testemunhava violência. Um monstro como aquele que me perseguiu durante a noite poderia levar uma vítima tão facilmente como um gato faria com um rato. Nesse caso, os outros o teriam perseguido, mas certamente levariam seus rifles. Quanto mais eu tentava organizar o meu cérebro confuso e cansado, menos eu conseguia encontrar qualquer explicação plausível. Procurei na floresta, mas não vi nenhuma pista que me ajudasse a chegar a uma conclusão. Acabei me perdendo e foi apenas por muito boa sorte e depois de uma hora de perambulação que eu encontrei o acampamento de novo.

De repente, um pensamento me ocorreu, trazendo um pouco de conforto ao meu coração. Eu não estava absolutamente sozinho no mundo. Lá no fundo do penhasco e ao alcance do meu chamado, o fiel Zambo estava esperando. Fui até a beira do platô e olhei para o outro lado. Com certeza, ele estava de cócoras entre os cobertores, ao lado da fogueira em seu pequeno acampamento, mas para minha surpresa um segundo homem estava sentado na frente dele. Por um instante o meu coração saltou de alegria, pois achei que um de meus companheiros havia conseguido descer com sucesso, mas um novo olhar meu dissipou essa esperança. O sol nascente brilhou vermelho sobre a pele do homem: era um indígena. Gritei forte e acenei o lenço. Então, Zambo olhou para cima, acenou com a mão e virou-se para subir ao pináculo. Em pouco tempo ele estava perto de mim e ouvia com profunda angústia o relato que lhe contei.

– O diabo os pegou com certeza, *Masta* Malone – ele disse. – Vocês entraram no terreno do diabo e ele vai pegar vocês para ele. Aceite um conselho, *Masta* Malone: desça rápido, senão ele também pega você.

– Como posso descer, Zambo?

– Pegue trepadeiras nas árvores, *Masta* Malone e jogue para cá. Eu prendo logo no toco e então você tem uma ponte.

– Pensamos nisso. Aqui não existem trepadeiras que nos aguentem.

– Mande buscar cordas, *Masta* Malone.

– Quem eu posso mandar e onde?

– Mande para aldeia indígena, senhor. Tem muita corda escondida na aldeia indígena. O índio vai voltar, mande ele trazer.

– Quem é ele?

– Um dos nossos índios. Os outros o espancam e tiram seu pagamento. Ele voltou para nós. Agora está pronto para levar carta e trazer corda. Ele vai fazer qualquer coisa.

Ele estava pronto para levar cartas! Por que não? Talvez ele pudesse voltar com ajuda, mas, de qualquer forma, ele garantiria que nossas vidas não fossem sacrificadas em vão e que a notícia de tudo o que conquistamos para a ciência chegasse aos nossos amigos em nossa terra natal. Eu tinha duas cartas prontas já esperando e passaria o dia escrevendo uma terceira, o que manteria as minhas experiências absolutamente atualizadas. O índio poderia enviá-las ao mundo. Por isso, pedi a Zambo que voltasse à noite. Passei esse dia ingrato registrando solitariamente as minhas próprias aventuras da noite anterior. Também preparei um bilhete para ser entregue a qualquer comerciante branco ou capitão de barco a vapor que os índios pudessem encontrar, implorando-lhes que nos enviassem cordas, pois as nossas vidas dependiam disso. Joguei esses documentos para o Zambo à noite, junto com a minha bolsa, que continha três moedas de soberanos, inglesas, que deveriam ser dadas ao índio, prometendo-lhe o dobro caso ele voltasse com as cordas.

Assim, você poderá entender, meu caro senhor McArdle, como esta comunicação chegou até você e ainda saberá a verdade, caso jamais a escute de seu infeliz correspondente. Esta noite estou muito cansado e deprimido demais para fazer planos. Amanhã devo pensar como vou manter contato com esse acampamento, além de procurar por toda parte algum vestígio dos meus amigos desparecidos.

Uma cena que eu jamais esquecerei

Com o sol se pondo naquela tarde tristonha, eu vi a figura solitária do índio se afastando na vasta planície abaixo de mim. Observei-o como a nossa última esperança de salvação, até que ele desaparecesse nas brumas que se levantavam ao noitecer, tingidas de rosa pelo sol poente, entre mim e o rio distante.

Já havia escurecido completamente quando por fim voltei para o nosso acampamento destruído. A minha última visão quando parti foi o brilho vermelho da fogueira do Zambo, o único ponto de luz no vasto mundo abaixo, assim como sua presença fiel na minha alma acabrunhada. E então eu me sentia mais feliz do que quando o golpe esmagador me atingiu, porque era bom pensar que o mundo saberia o que havíamos feito, para que, na pior das hipóteses, os nossos nomes não perecessem com os nossos corpos, mas que passassem para a posteridade associados ao resultado dos nossos trabalhos.

Dormir naquele acampamento malfadado era algo pavoroso, mas ainda assim menos enervante do que fazê-lo na selva. Porém, não havia alternativa. A prudência, por um lado, me avisava que eu deveria manter a guarda, mas a minha natureza exausta, por outro lado, determinava que eu não deveria fazer nada disso. Subi num galho da grande árvore *gingko biloba*, mas não encontrei nenhum poleiro seguro em sua superfície arredondada. Certamente eu cairia e quebraria o pescoço tão logo começasse a cochilar. Portanto, desci e ponderei sobre o que deveria fazer. Por fim, fechei a porta da *zareba*, acendi três fogueiras separadas em triângulo e, após um reconfortante jantar, caí num sono profundo, do qual tive um estranho, mas muito bem-vindo despertar. De madrugada, quando o dia estava raiando, uma mão segurou no meu braço. Com todos os meus nervos vibrando à flor da pele e a minha mão buscando o rifle, soltei um grito de alegria quando, sob a fria luz acinzentada da manhã, reconheci lorde John Roxton ajoelhado ao meu lado.

Era ele, porém, não parecia o mesmo... Quando o deixei, ele era calmo, comedido, elegante. Então, estava pálido, de olhos arregalados, ofegante. Respirava como quem correu muito e rapidamente. Seu rosto magro estava arranhado e ensanguentado, as roupas em farrapos e o chapéu havia sumido. Olhei-o com espanto, mas ele não me deu chances de fazer perguntas. Ficou pegando coisas o tempo todo enquanto falava.

– Depressa, meu caro! Depressa! – ele exclamou. – Cada momento conta. Pegue os rifles, os dois. Estou com os outros dois. Agora, junte todos os cartuchos que puder. Encha os bolsos. Vamos, pegue um pouco de comida. Meia dúzia de latas é o suficiente. Tudo bem! Não pare para conversar e nem para pensar. Siga em frente, ou estaremos perdidos!

Ainda meio adormecido e incapaz de imaginar o significado de tudo aquilo, passei a correr loucamente atrás dele pelo bosque, levando um rifle embaixo de cada braço e várias coisas nas mãos. Ele foi se esgueirando pelos arbustos mais espessos até chegar a um matagal mais fechado, onde entrou, sem se preocupar com os espinhos, puxando-me para que eu ficasse ao seu lado.

– É isso! – ele disse, ofegante. – Acho que aqui estamos seguros. Tenho absoluta certeza de que eles vão para o acampamento. Será a primeira ideia deles. Acho que conseguimos despistá-los.

– O que significa tudo isso? – perguntei, ao recuperar o fôlego. – Onde estão os professores? E quem está atrás de nós?

– Os homens macacos! – ele exclamou. – Meu Deus, como são brutos! Não levante a voz, pois eles têm orelhas longas e olhos afiados também, mas nenhum poder de olfato, pelo que pude perceber. Não acho que eles consigam nos farejar, mas onde foi que você esteve, meu caro? Escapou de entrar numa fria...

Com algumas poucas frases, sussurrei o que havia feito.

– Isso é muito ruim! – ele comentou, quando ouviu falar do dinossauro e da armadilha no poço. – Não é exatamente o melhor lugar para se relaxar e descansar, concorda? Mas não fazia a menor ideia disso até esses demônios nos pegarem. Os canibais da Papua, que uma vez quase me devoraram, são uns amores, comparados a essa corja.

– O que aconteceu? – perguntei.

– Foi no início da manhã. Nossos amigos eruditos estavam apenas espreguiçando, nem tinham começado a discutir ainda. De repente, começou uma chuva de macacos. Eram tantos que pareciam maçãs caindo da árvore. Suponho que eles se reuniram no escuro, pois aquela enorme árvore que cobria as nossas cabeças estava carregada deles. Atirei na barriga de um deles, mas antes que percebêssemos o que estava acontecendo, eles nos colocaram de costas no chão, com os braços abertos. Eu os chamo de macacos, mas eles traziam paus e pedras nas mãos. Tagarelavam numa linguagem incompreensível e acabaram amarrando as nossas mãos com trepadeiras. Eles são muito mais adiantados do que qualquer animal que eu já tenha visto em minhas andanças. Homens macacos, elos perdidos, é o que eles são e eu gostaria que eles tivessem ficado perdidos. Eles carregaram o companheiro deles ferido, que sangrava como um porco. Então, eles se sentaram ao nosso redor, e se alguma vez eu vi um olhar assassino, foi naqueles rostos. Eles são grandes, do tamanho de seres humanos, mas muito mais fortes. Têm olhos curiosos, acinzentados e vítreos, embaixo de sobrancelhas grossas e avermelhadas. Ficaram sentados, divertindo-se com a caça. Challenger não é nenhum covarde, mas até ele estava intimidado. Ele conseguiu se levantar e gritou para que eles acabassem com aquilo e fossem embora. Acho que a situação inusitada o deixou com a cabeça um pouco perturbada, pois ele ficou furioso e passou a amaldiçoá-los como um lunático. Nem se eles fizessem parte do grupo de jornalistas favoritos dele, não os teria ofendido tanto...

– Mas o que eles fizeram? – perguntei.

Eu estava fascinado com a estranha história que lorde Roxton sussurrava em meus ouvidos, ao mesmo tempo em que seu olhar atento vigiava em todas as direções e sua mão segurava o rifle armado.

– Pensei que o nosso fim havia chegado, mas, em vez disso, eles mudaram de atitude. Todos passaram a confabular e a tagarelar juntos. Então, um deles se colocou ao lado do Challenger. Você vai sorrir, meu caro, mas dou a minha palavra de honra que eles poderiam ser parentes! Eu não acreditaria nisso se não tivesse visto com os meus próprios olhos... Aquele velho homem macaco, que era o chefe deles, parecia uma espécie de Challenger avermelhado, com todos e cada um dos pontos que caracterizam o nosso amigo, só que um pouquinho mais carregados. Ele tinha o corpo curto, os ombros grandes e o peito arredondado. O pescoço não aparecia atrás da grande barba ruiva, as sobrancelhas eram grossas, em tufos. No olhar, ele exibia aquele ar indefectível de "o que é que você quer, seu maldito?"... Enfim, era o pacote completo. Quando o homem macaco se posicionou ao lado do Challenger e colocou a pata no ombro dele, o quadro ficou perfeito. Summerlee teve uma pequena crise de histeria e passou a rir até chorar. Os homens macacos também riram (ou pelo menos soltavam gargalhadas diabólicas) e logo se puseram a nos arrastar pela floresta. Eles não tocaram em nossas armas e nem nas nossas coisas, pois creio que devem tê-las achado perigosas, mas levaram embora toda a comida que encontraram. Eu e Summerlee fomos tratados com algumas manobras bruscas no caminho, a minha pele e as minhas roupas provam isso, porque eles nos levaram através do matagal e a própria pele deles é como couro, mas o Challenger se deu bem. Quatro deles o carregaram no alto e ele foi transportado como um imperador romano... Mas o que foi isso?

De repente, ouvimos um estranho barulho de estalos ao longe, não muito diferente de castanholas.

– São eles! – disse lorde Roxton, colocando cartuchos no segundo rifle *express* de cano duplo. – Carregue as suas armas, meu rapaz. Não podemos permitir que nos levem vivos. Nem pensar! Eles fazem essa balbúrdia quando estão agitados. Por São Jorge! E ficarão ainda mais agitados caso venham se meter conosco. Não será como no caso do refrão do hino *Última Trincheira do Regimento Real dos Dragões da Rainha*: "Com seus rifles presos em suas mãos enrijecidas, no meio de um círculo de mortos e moribundos", como alguns desmiolados cantam. Consegue ouvi-los?

– Muito longe.

– Esse pequeno bando não fará nada, mas acredito que eles tenham equipes de busca espalhadas por toda a mata. Bem, eu estava contando a história dos nossos infortúnios. Eles nos levaram imediatamente para a aldeia deles, são cerca de mil malocas feitas de galhos e folhas, numa grande área arborizada perto da beira do penhasco, a quatro ou cinco quilômetros daqui. Esses animais imundos me apalparam o corpo todo, e sinto-me como se jamais fosse ficar limpo novamente. Eles nos amarraram, o sujeito que me amarrou sabia fazer isso como um marinheiro, e lá ficamos deitados de barriga para cima, embaixo de uma árvore, enquanto um brutamontes ficava de guarda perto nós com um porrete na mão. Quando digo "nós", eu quero dizer Summerlee e eu. O velho Challenger foi colocado numa árvore, estava comendo pinhas e se dando muito bem. Tenho que reconhecer que ele conseguiu algumas frutas para nós e afrouxou os nós das nossas amarras com as próprias mãos. Se o visse sentado na copa daquela árvore com seu irmão gêmeo, cantando a plenos pulmões "Toquem sinos, toquem loucamente", porque qualquer tipo de música parece deixá-los de bom humor, você riria para valer. Mas não estávamos muito dispostos a rir, como você pode imaginar. Eles se mostravam inclinados a deixá-lo fazer o que ele gostava, dentro de certos limites, enquanto nós dois éramos tratados com rédeas curtas. O nosso único consolo era saber que você estava solto e que havia conseguido preservar os nossos registros.

– Muito bem, meu caro, agora vou lhe dizer algo que vai surpreendê-lo. Você diz que viu sinais de homens e fogueiras, armadilhas e coisas assim. Pois bem: nós vimos os indígenas em pessoa, uns pobres diabos, pequenos e cabisbaixos, com muitos motivos para isso. Parece que esses humanos dominam um lado do platô, aquele onde você viu as cavernas – e os homens macacos controlam este lado e há uma guerra sangrenta entre eles. O tempo todo, a situação é essa, até onde eu pude entender. Então, ontem os homens macacos capturaram uma dúzia de humanos e os trouxeram prisioneiros. Jamais em sua vida você ouvirá tamanha algazarra e tanta gritaria. Os humanos eram uns caras pequenos, de pele avermelhada. Tinham sido mordidos e arranhados de tal forma que mal conseguiam andar. Os homens macacos mataram dois deles ali mesmo, quase arrancando o braço de um deles. Foi algo realmente bestial. Eram uns garotos corajosos e apenas gemeram. Mas isso nos deixou absolutamente doentes. Summerlee desmaiou e até o Challenger quase não se aguentava. Eu acho que eles sumiram, não é?

Procuramos escutar atentamente, mas não ouvimos nada. Nada além do chamado dos pássaros perturbava a paz profunda da floresta. Lorde Roxton continuou sua história.

– Eu acho que você escapou por milagre, meu rapaz. Provavelmente a captura dos índios tirou você da cabeça deles... Senão, eles teriam voltado para o acampamento e certamente o teriam capturado. Claro, como você disse, eles estavam nos observando desde o início naquela árvore e sabiam perfeitamente que um de nós estava faltando. Felizmente, só pensavam no que haviam capturado recentemente. Por isso, fui eu e não um bando de macacos quem colocou as mãos em você nesta manhã. Bem, em seguida, tivemos que resolver outro assunto terrível. Meu Deus, que pesadelo! Você se lembra do grande bambuzal de lanças afiadas lá embaixo, onde encontramos o esqueleto do americano? Pois bem, fica exatamente embaixo da aldeia dos homens macacos e onde há a rampa de lançamento dos prisioneiros. Acredito que encontraremos montes de esqueletos lá, se procurarmos. Eles realizam uma espécie de desfile festivo no topo, com cerimônias apropriadas. Um por um, os pobres diabos são obrigados a pular. Para o público, a diversão é ver se os índios simplesmente se acabam em pedaços ou se ficam espetados nas lanças. Eles nos levaram para assistir à cerimônia e toda a tribo se enfileirou na borda. Quatro índios saltaram e os bambus os atravessaram como faca na manteiga. Não é de admirar que tenhamos encontrado o esqueleto do pobre ianque com os bambus espetados entre suas costelas. Era horrível, mas também diabolicamente interessante. Ficamos todos fascinados ao vê-los mergulhando, mesmo sabendo que poderíamos ser os próximos no trampolim.

– Bem, não fomos. Eles guardaram seis índios para hoje, pelo menos foi isso que eu entendi, mas imaginei que nós seríamos os atores principais no show. O Challenger poderia escapar, mas Summerlee e eu estávamos na lista. Mais da metade da linguagem deles é feita por meio de sinais, e é difícil entendê-los. Então, achei que estava na hora de dar um basta nisso. Eu havia maquinado um pouquinho sobre a situação e tinha uma ou duas coisas claras na mente. Cabia tudo a mim, pois Summerlee era inútil e Challenger mais ainda. A única vez que eles se aproximaram um do outro, começaram a falar no jargão erudito deles, pois não concordavam com a classificação científica daqueles diabos ruivos que nos haviam capturado. Um dizia que eram driopitecos de Java, o outro afirmava que eram pitecantropos. Eu chamo isso de loucura, maluquice, ou ambas as coisas. Mas como estava dizendo, eu tinha observado um ou dois pontos importantes, que poderiam ajudar. Um deles é que aqueles brutos não poderiam correr tão rápido quanto um homem ao ar livre, pois têm as pernas curtas e arqueadas, como você sabe, e o tronco pesado. Até o Challenger conseguiria levar alguma vantagem nos cem metros contra os melhores deles e você ou eu seríamos verdadeiros campeões. O outro ponto é que eles não sabiam nada sobre armas. Não acredito que eles tivessem entendido como o cara em que atirei havia se ferido. Se pudéssemos pegar as nossas armas, não haveria palavras para dizer o que poderíamos fazer. Então, escapei logo cedo, nesta manhã. Dei um pontapé na barriga do meu guarda, que ficou fora de combate e fugi para o acampamento, onde encontrei você e as armas e cá estamos nós!

– Mas e os professores? – indaguei, consternado.

– Bem, só nos resta voltar e tirá-los de lá. Eu não pude trazê-los comigo. Challenger estava no topo da árvore e Summerlee sem condições de aguentar o esforço. A única chance era vir pegar as armas para tentar resgatá-los. Claro que eles poderiam liquidá-los de uma só vez por vingança. Não creio que fossem incomodar o Challenger, mas não seria o mesmo quanto ao Summerlee. De qualquer forma, eles o teriam recapturado, disso eu tenho certeza. Então, eu não quis piorar as coisas, mas a honra nos obriga a voltar para soltá-los ou ficar com eles até o fim. Assim, faça das tripas coração, meu rapaz, pois antes de anoitecer terá sido de um jeito ou de outro.

Tentei reproduzir aqui a fala rude de lorde Roxton, imitando suas frases curtas e fortes, no tom meio engraçado e meio intimidador que ele empregou, mas ele era um líder nato. Quanto mais o perigo apertava, mais seu desembaraço se manifestava: seu discurso se tornava mais ousado, seus olhos frios reluziam com vivo ardor e seu bigode de Dom Quixote se eriçava de alegre entusiasmo. O amor dele pelo perigo, sua intensa apreciação pela dramaticidade de uma aventura, ainda mais forte por estar indissoluvelmente fazendo parte dela, e sua visão consistente de que todo perigo na vida é uma forma de esporte, um jogo feroz entre você e o destino, com a morte como troféu, faziam dele um companheiro maravilhoso nessas horas. Não fosse pelo medo quanto ao destino dos nossos companheiros, eu sentiria uma verdadeira alegria em participar com tal homem de uma aventura dessas. Estávamos nos levantando do nosso esconderijo quando de repente senti a mão dele agarrar o meu braço.

– Por São Jorge! – ele sussurrou. – Lá vêm eles!

De onde estávamos, podíamos avistar uma vereda marrom entre arcos de vegetação formados por troncos e galhos, semelhante à nave central de uma igreja. Ao longo dela, um grupo de homens macacos passava. Eles andavam em fila indiana, com as pernas recurvadas, as costas arredondadas, as mãos ocasionalmente tocando o chão, as cabeças viravam para a esquerda e para a direita enquanto eles trotavam. O andar agachado diminuía a altura deles, mas eu diria que mediam cerca de um metro e meio, com braços longos e peitos enormes. Muitos carregavam paus e, a distância, lembravam uma fila de homens muito peludos e deformados. Por um momento, tive uma visão clara deles. Em seguida eles desapareceram entre os arbustos.

– Não foi dessa vez – lorde John disse, desengatilhando o rifle. – A nossa melhor chance é ficarmos quietos até eles desistirem da busca. Depois, veremos se é possível voltar para a aldeia deles, para atingi-los onde dói mais. Vamos aguardar uma hora e, então, partimos.

Passamos esse tempo abrindo uma lata de comida e providenciando o café da manhã. Lorde Roxton só havia comido frutas desde a manhã anterior e devorou a refeição como um homem faminto. Então, finalmente, com os bolsos cheios de cartuchos e um rifle em cada mão, seguimos para a nossa missão de resgate. Antes de sairmos, cuidadosamente marcamos a localização do nosso pequeno esconderijo no mato e a direção do Forte Challenger, para que pudéssemos encontrá-lo de novo, se precisássemos. Em seguida, nós nos esgueiramos pelos arbustos em silêncio até chegarmos à beira do penhasco, perto do antigo acampamento. Ali paramos e lorde John me explicou seus planos.

– Enquanto estivermos entre as árvores grossas, esses porcos controlam a situação, pois eles podem nos ver e nós não podemos vê-los – ele afirmou. – Mas em campo aberto é diferente, porque nos movemos mais rapidamente do que eles. Portanto, devemos ficar lá o quanto pudermos. A borda do platô tem menos árvores grandes do que o interior. Então, essa é a nossa linha de frente. Vá devagar, mantenha os olhos abertos e o rifle preparado. E, acima de tudo, jamais deixe que eles o façam prisioneiro enquanto você tiver um cartucho sobrando. Essa é a minha palavra final para você, meu caro.

Quando chegamos à beira do penhasco, olhei e vi o nosso bom e velho amigo preto Zambo sentado, fumando numa rocha abaixo de nós. Eu gostaria muito de tê-lo saudado com um grito e de avisá-lo sobre como estávamos posicionados, mas seria perigoso demais, pois poderíamos ser ouvidos. A floresta parecia estar cheia de homens macacos. De vez em quando ouvimos o curioso burburinho da conversa deles. Nessas ocasiões, mergulhávamos num arbusto da moita mais próxima e ficávamos parados até que o som passasse. Nosso avanço, portanto, era muito lento e duas horas pelo menos devem ter passado antes que eu percebesse, pelos movimentos cautelosos de lorde John, que deveríamos estar bem perto do nosso destino. Ele me fez um sinal para que eu parasse e avançou, arrastando-se. Um minuto depois ele estava de volta, com o rosto tremendo de ansiedade.

– Venha! – ele disse. – Venha depressa! Deus queira que não seja tarde demais!

Comecei a tremer de agitação nervosa quando me arrastei para frente e fiquei estirado no chão ao lado dele, olhando através dos arbustos para uma clareira que se abria diante de nós. Foi uma cena que eu jamais esquecerei até o dia da minha morte, tão estranha e inverossímil que não sei como vou contar para você entendê-la, ou se ainda acreditarei nisso em alguns anos, caso sobreviva para me sentar novamente num salão do Savage Club contemplando a pesada solidez do Embankment. Eu sei que parecerá um pesadelo selvagem, o delírio de alguma febre. No entanto, vou relatá-la agora, enquanto essa história ainda está fresca em minha memória e pelo menos o homem que está no gramado úmido ao meu lado sabe se estou mentindo.

Um espaço amplo e aberto se estendia diante de nós, com algumas centenas de metros de largura, todo coberto de gramíneas bem verdes e samambaias baixas que cresciam até a beira do penhasco. Ao redor dessa clareira, havia um semicírculo de árvores com curiosas malocas construídas de folhagens empilhadas umas sobre as outras entre os galhos. Um ninhal de aves marinhas, onde cada ninho seria uma casinha, serviria como referência para transmitir a ideia. As entradas dessas malocas e os galhos das árvores eram ocupados por uma multidão de homens macacos, que, pelo tamanho, achei que fossem as fêmeas e as crianças da tribo. Eles formavam o pano de fundo do quadro e todos olhavam com interesse e ansiedade para a mesma cena que, simultaneamente, nos fascinava e desconcertava.

Ao ar livre e à beira do penhasco, havia uma multidão reunida, composta de algumas centenas dessas criaturas ruivas desgrenhadas, muitas delas de um tamanho enorme e todas horríveis de se ver. Havia uma certa disciplina entre essas feras, pois nenhuma tentou quebrar a linha formada. Na frente, estava um pequeno grupo de índios. Eram indivíduos pequenos, bem proporcionados, de pele vermelha, que brilhava como bronze polido sob a forte luz do sol. Um homem alto e magro estava de pé ao lado deles, com a cabeça baixa, os braços cruzados. Todas as suas atitudes expressavam horror e desânimo. Não havia como confundir a figura de feições angulosas do professor Summerlee.

Na frente e ao redor desse grupo de prisioneiros abatidos havia vários homens macacos, vigiando-os de perto e tornando qualquer fuga impossível. Em seguida, separadas dos demais e perto da beira do penhasco, duas figuras, tão estranhas e, em outras circunstâncias tão ridículas, destacavam-se tanto que absorveram a minha atenção. Uma delas era o nosso companheiro, o professor Challenger. Os restos de seu casaco, em tiras, ainda estavam pendurados em seus ombros, mas sua camisa tinha sido totalmente rasgada. Sua grande barba se fundia com o emaranhado de pelos pretos que cobriam seu peito forte. Ele havia perdido o chapéu e seu cabelo, que havia crescido muito durante as nossas andanças, esvoaçava numa desordem selvagem. Um único dia parecia tê-lo transformado do mais alto produto da civilização moderna no mais desamparado selvagem da América do Sul. Ao lado dele estava seu mestre, o rei dos homens macacos. Em todas as coisas ele era, como lorde John havia dito, a própria imagem de nosso professor, exceto que a coloração de seu cabelo era vermelha em vez de preta. A mesma figura baixa e larga, os mesmos ombros pesados, a mesma inclinação dos braços para a frente e a mesma barba eriçada fundindo-se no peito peludo. Somente acima das sobrancelhas, onde a testa inclinada no crânio baixo e curvo do homem macaco contrastava com a testa larga no magnífico crânio do europeu, é que se podia ver alguma diferença marcante entre ambos. Em todos os outros pontos, o rei era uma paródia absurda do professor.

Tudo isso, que eu demorei tanto para descrever, impressionou-me em poucos segundos. Então, tínhamos que pensar em coisas muito distintas, pois um drama ativo estava em andamento. Dois homens macacos separaram um índio do grupo e o arrastaram para a beira do penhasco. O rei levantou a mão como sinal. Eles pegaram o sujeito pelas pernas e os braços e o balançaram três vezes para trás e para frente com toda força. Então, com um arremesso terrivelmente violento, atiraram o pobre coitado no precipício. Ele foi jogado com tanta força que fez uma curva no ar antes de começar a cair. Como ele desapareceu do alcance da vista, toda a plateia, exceto os guardas, correu para a borda do precipício. Houve uma longa pausa de silêncio absoluto, que foi quebrada por uma louca explosão de alegria. Eles começaram a dançar, lançando seus longos braços peludos no ar e uivando exultantes. Depois, recuaram da borda, formaram novamente a fila e esperaram pela próxima vítima.

Dessa vez, seria o Summerlee. Dois dos seus guardas agarraram-no pelos pulsos e empurraram-no brutalmente para a frente. Sua figura magra, com seus membros longos, lutava e se agitava como uma galinha sendo retirada do galinheiro. Challenger se virou para o rei e agitava as mãos freneticamente diante dele. Ele pedia, implorava, suplicava pela vida do companheiro. O homem macaco empurrou-o bruscamente, sacudindo a cabeça. Foi o último movimento consciente que ele fez na face da terra. Lorde John disparou seu rifle e o rei desabou no chão, feito um monte de pelos vermelhos emaranhados.

– Atire no meio deles, garoto! Atire! Atire! – o meu companheiro gritou.

Existem estranhos instintos sanguinários escondidos nas profundezas da alma do homem mais comum. Eu tenho, por natureza, coração mole e já me peguei de olhos úmidos de lágrimas muitas vezes por causa do grito de uma lebre ferida. Porém, a sede de sangue tomou conta de mim nessa hora. De repente, eu estava de pé, esvaziando um carregador após o outro, abrindo a culatra para recarregar o rifle e atirar novamente, enquanto comemorava, gritando de pura ferocidade e alegria ao realizar a matança. Com as nossas quatro armas, nós dois fizemos um estrago terrível. Os dois guardas que seguravam Summerlee tombaram e ele saiu cambaleando de surpresa como um bêbado, incapaz de perceber que era um homem livre. A densa multidão de homens macacos corria perplexa, extasiada com a chegada dessa tempestade de mortes ou com o que poderia significar. Eles acenavam, gesticulavam, gritavam, tropeçavam nos que haviam caído. Então, com um repentino impulso, todos correram como uma multidão ululante para as árvores em busca de abrigo, abandonando para trás o terreno repleto de seus companheiros feridos. Os prisioneiros foram abandonados em pé, sozinhos no meio da clareira.

O cérebro rápido do Challenger entendeu a situação. No caminho, ele pegou o desanimado Summerlee pelo braço e ambos correram em nossa direção. Dois guardas que o vigiavam saíram atrás deles, mas tombaram com duas balas de lorde John. Corremos para encontrar os nossos amigos no espaço aberto e colocamos um rifle carregado nas mãos de cada um, mas Summerlee exaurido, no fim de suas forças, mal podia se arrastar. Os homens macacos já estavam se recuperando do pânico. Eles avançavam pelo mato, ameaçando cortar a nossa passagem. Challenger e eu corremos junto com Summerlee, cada um carregando-o por um braço, enquanto lorde John cobria nossa retirada, disparando sem parar quando a cabeça de algum selvagem nos encarava no meio dos arbustos. Por um quilômetro ou mais, os brutos tagarelas estiveram em nossos calcanhares. Então a perseguição foi afrouxando, pois eles entenderam o nosso poder e desistiram de enfrentar aqueles rifles infalíveis. Quando finalmente chegamos ao acampamento, olhamos para trás e percebemos que ficamos sozinhos.

Bem, foi o que pensamos, mas ainda assim estávamos enganados. Mal tínhamos fechado a porta de arbustos da nossa *zareba*, apertando as mãos um dos outros e nos jogando ofegantes no chão ao lado de nossa nascente, quando escutamos passos e depois um choro suave e melancólico do lado de fora de nossa entrada. Lorde Roxton avançou com o fuzil na mão e abriu a cerca. Lá fora, prostrados com o rosto no chão, estavam as pequenas figuras de pele vermelha dos quatro índios sobreviventes, tremendo de medo de nós e ainda assim implorando pela nossa proteção. Apelando expressivamente com as mãos, um deles apontou para a mata ao redor e indicou que ela estava cheia de perigos. Então, lançando-se para a frente, ele abraçou as pernas de lorde John, apoiando o rosto nelas.

– Por São Jorge! – gritou o nosso colega, ajeitando o bigode totalmente perplexo. – Quero dizer, que diabos vamos fazer com essas pessoas? Levante-se, homem, e tire o seu rosto das minhas botas...

Summerlee estava sentado, colocando um pouco de tabaco em seu velho cachimbo de roseira brava.

– Temos que colocá-los em segurança – ele disse. – Vocês tiraram todos nós das garras da morte. Dou a minha palavra de que foi um bom trabalho!

– Admirável! – Challenger exclamou. – Admirável! Não apenas nós, individualmente, mas também a ciência europeia, coletivamente, temos para com vocês uma profunda dívida de gratidão pelo que fizeram. Não hesito em dizer que o desaparecimento do professor Summerlee e o meu próprio deixariam um vazio imenso na história da zoologia moderna. Você e o nosso jovem colega aqui presente trabalharam muito bem.

Ele nos saudou com seu velho sorriso paternal, mas a ciência europeia teria ficado bastante surpresa se visse seu filho dileto, a esperança do futuro, com o cabelo desgrenhado, o peito nu e as roupas esfarrapadas. Ele pegou uma lata de carne, colocou entre os joelhos e sentou-se com um grande naco de carneiro australiano em conserva entre os dedos. O índio levantou os olhos para ele e então, com um pequeno grunhido, encolheu-se no chão e agarrou-se novamente à perna de lorde John, amedrontado.

– Não se assuste, homem – lorde John disse, acariciando a cabeleira emaranhada diante dele. – Ele se confundiu com a sua aparência, Challenger, mas, por São Jorge, isso não me surpreende. Tudo bem, rapaz, ele é apenas um ser humano, aliás, como o resto de nós.

— Realmente, senhor! — indignou-se o professor.

— Bem, foi sorte sua, Challenger, você ter essa aparência um pouco fora do normal. Se você não fosse tão parecido com o rei...

— Pela minha palavra, lorde John, você está indo longe demais!

— Bem, trata-se de um fato.

— Eu lhe imploro, senhor, que mude de assunto. As suas observações são irrelevantes e incompreensíveis. A questão que está colocada diante de nós é: o que devemos fazer com esses índios? Obviamente, deveríamos escoltá-los para casa, se soubéssemos onde eles moram.

— Não há dificuldade nenhuma quanto a isso — eu disse. — Eles vivem nas cavernas do outro lado do lago central.

— O nosso jovem companheiro aqui presente sabe onde eles vivem. Acho que é bem longe.

— Uns bons trinta quilômetros — eu disse.

Summerlee gemeu.

— Da minha parte, eu jamais aguentaria chegar lá. Todavia estou escutando os uivos daqueles brutos ainda seguindo o nosso rastro.

Enquanto ele falava, ouvimos ao longe nos recônditos obscuros da floresta, a gritaria dos homens macacos tagarelando. Mais uma vez, os índios soltaram um fraco gemido de medo.

— Temos que nos mover e nos mover rapidamente! — disse lorde John. — Você, meu caro, ajude o Summerlee. Esses índios vão levar os mantimentos. Vamos, então, antes que eles possam nos ver.

Em menos de meia hora, chegamos ao nosso refúgio, onde nos escondemos. Durante o dia todo, escutamos os apelos agitados dos homens macacos vindos da direção do nosso antigo acampamento, mas nenhum deles apareceu em nosso caminho, e os fugitivos, cansados, indígenas e europeus, desfrutaram de um sono longo e profundo. Eu cochilava à noite quando alguém puxou a minha manga e notei Challenger ajoelhado ao meu lado.

— Você mantém um registro diário desses eventos e espera publicá-lo, senhor Malone — ele disse, solenemente.

— Estou aqui apenas como repórter da imprensa — respondi.

– Exatamente. Talvez você tenha ouvido algumas observações bastante tolas de lorde John Roxton, as quais pareciam implicar que haveria alguma, ou melhor, uma certa semelhança entre a minha aparência e...

– Sim, eu sei, ouvi.

– Acho que não preciso dizer que qualquer publicidade dada a essa ideia (qualquer leviandade em sua narrativa sobre o que ocorreu) seria extremamente ofensiva para mim.

– Eu vou me manter bem dentro dos limites da verdade.

– Frequentemente as observações de lorde John são extravagantes e ele é capaz de atribuir as razões mais absurdas ao devido respeito à dignidade e ao caráter de alguém, sempre demonstrado até mesmo pelas raças mais subdesenvolvidas. Consegue seguir o meu raciocínio?

– Inteiramente.

– Deixo esse assunto a seu critério.

Após uma longa pausa, então, ele acrescentou:

– O rei dos homens macacos era realmente uma criatura de grande distinção, uma personalidade inteligente e de extraordinária beleza. Reparou nisso?

– Uma criatura de fato notável – concordei.

Assim, o professor, parecendo aliviado de uma grande preocupação, acomodou-se e voltou a dormir.

Essas foram as verdadeiras conquistas

Pensávamos que os nossos perseguidores, os homens macacos, não sabiam nada sobre o nosso refúgio no meio do mato, mas logo perceberíamos que estávamos errados. Não se ouviam sons no bosque, nenhuma folha se movia nas árvores e tudo estava em paz ao redor, mas a nossa experiência anterior deveria ter nos alertado para o fato de que aquelas criaturas poderiam ser muito astutas e pacientes quando espreitavam e ficavam à espera da melhor oportunidade para atacar. Qualquer que venha a ser o meu destino na vida, tenho certeza de que jamais voltarei a ficar mais perto da morte do que naquela manhã, mas vou contar o que aconteceu na sua devida ordem.

Todos acordamos exaustos depois das terríveis emoções e da escassa comida do dia anterior. Summerlee ainda estava tão fraco que ficar de pé era um esforço muito grande para ele, mas o velho estava cheio de uma espécie de coragem geniosa que jamais admitiria a derrota. Realizamos uma reunião estratégica, decidindo que devíamos esperar onde estávamos por uma ou duas horas em silêncio, tomando o café da manhã mais do que necessário para, então, atravessar o platô, contornando o lago central, até as cavernas, onde as minhas observações tinham mostrado que os índios viviam. Confiávamos no fato de que poderíamos contar com a boa palavra daqueles a quem havíamos resgatado como garantia de uma recepção calorosa de seus companheiros. Então, com essa missão cumprida e de posse de conhecimentos abrangentes a respeito dos segredos da Maple White Land, poderíamos dedicar todos os nossos pensamentos ao problema vital da nossa fuga e do nosso retorno. Até o próprio Challenger estava pronto para admitir que já havíamos conseguido reunir tudo o que viemos buscar e que a nossa tarefa prioritária a partir daquele momento seria voltar à civilização levando as incríveis descobertas que havíamos feito.

Então, pudemos ter uma visão mais descontraída dos índios que havíamos resgatado. Eram homens de baixa estatura, rijos, ativos e bem constituídos, com cabelos pretos escorridos amarrados em tufo atrás da cabeça com uma tira de couro. Também eram de couro as tangas que eles usavam. De rosto imberbe, eles eram simpáticos e bem-apessoados. Os lóbulos de suas orelhas, feridas e ensanguentadas, mostravam que haviam sido perfurados por alguns ornamentos que os captores haviam arrancado. A fala deles, embora ininteligível para nós, era fluente entre eles e quando apontaram uns para os outros e proferiram a palavra "*Accala*" muitas vezes, concluímos que esse era o nome de sua nação. Ocasionalmente, com o rosto convulsionado de medo e ódio, eles acenavam com os punhos cerrados para a mata, gritando "*Doda! Doda!*", que era certamente o termo que servia para designar seus inimigos.

– O que acha deles, Challenger? – lorde John perguntou. – Uma coisa que está muito clara para mim é que o baixinho com a cabeça raspada na parte da frente é o cacique deles.

Era de fato evidente que aquele homem se diferenciava dos outros e que os demais nunca se atreviam a se dirigir a ele sem dar sinais de profundo respeito. Ele parecia ser o mais jovem de todos e, no entanto, exibia um ar tão altivo e orgulhoso que, quando Challenger pôs a mão sobre sua cabeça, ele reagiu como um cavalo indomável e, com um rápido clarão em seus olhos escuros, afastou-se do professor. Então, colocando a mão no peito e exibindo-se com grande dignidade, pronunciou a palavra "Maretas" várias vezes. O professor, sem se impressionar, agarrou o índio mais próximo pelo ombro e começou a fazer uma palestra a respeito dele como se fosse um espécime conservado num pote de formol numa sala de aula.

— Gente desse tipo — ele começou a falar em alto e bom som — se for julgada pela capacidade craniana, o ângulo facial ou qualquer outro teste semelhante, não pode ser considerada inferior. Muito pelo contrário, devemos colocá-los em nível consideravelmente alto na escala de muitas tribos da América do Sul que eu posso mencionar. Sob nenhuma hipótese normal é possível encontrarmos explicação para a evolução de tal raça nesse lugar. Da mesma forma, existe uma lacuna tão grande separando os homens macacos dos animais primitivos que sobreviveram neste platô que é inadmissível pensar que eles poderiam ter se desenvolvido onde os encontramos.

— Mas que diabos! De onde, então, eles vieram? — lorde John perguntou, intrigado.

— Essa é uma questão que, sem dúvida, será intensamente discutida em todas as sociedades científicas da Europa e da América — respondeu o professor. — A minha leitura da situação, tanto quanto possa valer a pena — ele inchou totalmente o peito e olhou insolente ao redor ao pronunciar essas palavras —, é que a evolução avançou sob as condições peculiares dessa região até o estágio dos vertebrados, com os velhos tipos sobrevivendo e vivendo em companhia dos mais novos. Assim, encontramos criaturas modernas como a anta, um animal de um *pedigree* já bastante longo, o grande cervo e o tamanduá, na companhia de formas reptilianas do tipo jurássico. Até aqui, tudo está muito claro, mas agora apareceram esses homens macacos e os índios. Qual explicação científica justificaria a presença deles? Eu só posso explicá-la por uma invasão vinda de fora. É possível que tenha existido um macaco antropoide na América do Sul, que em épocas passadas encontrou o caminho deste lugar e se desenvolveu como as criaturas que vimos, algumas das quais — nessa hora ele olhou atentamente para mim — seriam de uma aparência e uma forma que, caso tivessem sido acompanhadas do nível de inteligência correspondente, teriam conquistado, não hesito em dizer, o mesmo prestígio de qualquer raça viva. Quanto aos índios, não posso duvidar que sejam imigrantes mais recentes vindos do mundo lá embaixo. Sob a pressão da fome ou de invasões por conquistas, eles chegaram até aqui. Diante das criaturas ferozes que jamais tinham visto, eles se refugiaram nas cavernas que o nosso jovem companheiro descreveu, mas sem dúvida tiveram que travar amargas batalhas para se defenderem das feras selvagens, especialmente dos homens macacos, que os consideram intrusos e empreendem uma guerra impiedosa contra eles com uma astúcia que os animais maiores não teriam. Daí o fato de seu número parecer limitado. Bem, senhores, será que eu desvendei o enigma corretamente, ou ainda há algum ponto a ser esclarecido?

O professor Summerlee, pela primeira vez, estava esgotado demais para discutir, o que não o impediu de sacudir a cabeça violentamente em sinal de desacordo total. Lorde John apenas ajeitou seus escassos fios de cabelos, alegando que não entraria na briga porque não tinha o mesmo peso e, portanto, não era da mesma categoria dos outros lutadores. De minha parte, desempenhei o meu papel habitual de jogar água na fervura de forma estritamente prosaica e prática, com a observação de que um índio havia sumido.

– Ele foi buscar água – lorde Roxton disse. – Nós lhe demos uma lata de carne vazia e ele saiu.

– Foi para o antigo acampamento? – perguntei.

– Não, ele foi até o riacho, que fica ali, no meio das árvores, a uma distância que não ultrapassa duzentos metros. Mas certamente está demorando.

– Vou verificar – eu disse.

Peguei o meu rifle e caminhei na direção do riacho, deixando meus amigos preparando um café da manhã frugal. Pode parecer que eu estivesse me precipitando por me afastar, mesmo por uma distância tão curta, do nosso abrigo nesse bosque acolhedor. Mas é bom lembrar que estávamos a muitos quilômetros da aldeia dos macacos e que, até onde sabíamos, essas criaturas não haviam descoberto o nosso refúgio. De qualquer modo, com um rifle nas mãos, eu não tinha medo deles, mas eu ainda não conhecia toda a força e a astúcia deles.

Em algum lugar à minha frente, eu ouvia o riacho murmurar, mas havia um emaranhado de árvores e arbustos entre esse regato e eu. Assim, estava passando por um ponto fora do alcance da vista dos meus companheiros quando, embaixo de uma árvore, notei algo avermelhado amontoado entre os arbustos. Quando me aproximei, fiquei chocado ao ver que era o corpo morto do índio sumido. Ele estava deitado de lado, com os membros erguidos e a cabeça enroscada num ângulo pouco natural, de modo que parecia estar olhando direto por cima do próprio ombro. Gritei para avisar os meus amigos de que algo estava errado e, avançando, eu me inclinei sobre o corpo. Com certeza o meu anjo da guarda estava muito perto de mim nessa hora, pois, talvez por algum instinto de medo ou uma leve agitação nas folhas, olhei para cima: da grossa folhagem verde que pairava sobre minha cabeça, dois longos braços musculosos cobertos de pelos avermelhados desciam lentamente e, no momento seguinte, as grandes mãos furtivas teriam me esganado pela garganta. Saltei para trás, mas apesar da minha rapidez, aquelas mãos foram ainda mais ágeis. Com esse movimento brusco, consegui evitar o aperto fatal, mas uma das mãos me agarrou pela nuca e a outra, pelo rosto. Ergui as mãos para proteger a garganta e no momento seguinte a enorme mão que mais parecia uma pata deslizou do meu rosto, agarrou-as também. Fui levantado levemente do chão e senti uma pressão insuportável forçar a minha cabeça cada vez mais para trás, até que a tensão sobre a coluna cervical fosse maior do que eu poderia suportar. Comecei a perder os sentidos, mas ainda assim tentava arrancar a mão que me esganava, forçando-a para fora. Ao olhar para cima, vi um rosto assustador, com olhos azuis frios e inexoráveis, olhando fixamente para mim. Havia algo de hipnótico nesse olhar terrível, que me impedia de continuar lutando. Quando a criatura sentiu que eu começava a ceder, dois caninos brancos brilharam por um momento em cada lado de sua boca medonha e o aperto sobre o meu queixo aumentou ainda mais, empurrando-o para cima e para trás. Uma névoa fina, opaca, formou-se diante dos meus olhos e pequenos sinos prateados começaram a tilintar nos meus ouvidos. Quase desmaiado, ouvi o disparo de um rifle ao longe e percebi fracamente o impacto que recebi ao cair no chão, onde permaneci sem sentidos.

Quando acordei, estava de costas sobre a grama em nossa toca no meio do mato. Alguém havia trazido água do riacho e lorde John borrifava a minha cabeça com ela, enquanto Challenger e Summerlee me amparavam, com preocupação estampada no rosto. Por um momento vislumbrei humanidade neles, por trás das máscaras de cientistas. Foi apenas um choque, sem qualquer ferimento, que me deixou prostrado. Em meia hora, apesar da dor na cabeça e do torcicolo, eu estava sentado e pronto para tudo.

– Dessa vez você escapou por pouco, meu caro rapaz – lorde Roxton disse. – Quando escutei o seu grito, corri para lá, vi a sua cabeça meio torcida e as suas pernas se debatendo no ar. Então, achei que a nossa equipe teria um a menos. Na pressa, errei o alvo, mas a fera soltou você e fugiu feito raio. Por São Jorge! Gostaria de ter cinquenta homens com rifles, pois eu acabaria com todo esse bando infernal deles e deixaria essa região um pouco mais limpa do que a encontramos!

Havia ficado bem claro que, de algum modo, os homens macacos nos marcaram e que estávamos sendo vigiados de todos os lados. Não precisávamos temê-los durante o dia, pois eles provavelmente nos atacariam à noite. Assim, quanto mais cedo nos afastássemos das redondezas, melhor. Em três direções, a floresta densa nos cercava e, se fôssemos por lá, cairíamos numa emboscada, mas na quarta direção, que descia como uma colina rumo ao lago, havia apenas pouca vegetação, com árvores espalhadas e algumas clareiras. Era, na verdade, o caminho que eu mesmo tinha seguido em minha exploração solitária e que nos levava diretamente para as cavernas indígenas. Então, por todas as razões, esse deveria ser o caminho que haveríamos de seguir.

Foi com grande pesar que deixamos o nosso antigo acampamento para trás, não apenas por causa das coisas que ficaram lá, mas ainda mais porque estávamos perdendo contato com o Zambo, que era o nosso vínculo com o mundo exterior. No entanto, tínhamos um suprimento considerável de munições e estávamos com todas as nossas armas, então, pelo menos por algum tempo, poderíamos cuidar de nós mesmos e esperávamos em breve ter a chance de retornar e restabelecer a comunicação com o nosso companheiro. Ele havia prometido fielmente ficar onde estava e não tínhamos a menor dúvida de que manteria sua palavra.

Foi no início da tarde que começamos nossa jornada. O jovem cacique seguiu na frente como guia, mas se recusou indignado a carregar qualquer fardo. Atrás dele vinham os dois índios sobreviventes com as nossas escassas posses nas costas. Nós, os quatro homens brancos, íamos na retaguarda com os rifles engatilhados, prontos para atirar. Quando partimos, levantou-se do espesso bosque silencioso atrás de nós uma súbita e ruidosa vaia dos homens macacos, que tanto pode ter sido uma manifestação de triunfo pela nossa partida, como de desprezo pela nossa fuga. Olhando para trás, víamos apenas a densa cortina de árvores, mas aquele intenso alarido nos mostrou quantos inimigos estavam à nossa espreita. Porém, não percebemos nenhum sinal de perseguição, e logo entramos numa área mais aberta e fora do alcance deles.

Enquanto caminhávamos, eu, que era o mais recuado dos quatro, não pude deixar de rir da aparência dos meus três companheiros que seguiam na frente. Aquele seria o mesmo exuberante lorde John Roxton que uma noite esteve sentado comigo no Albany, entre seus tapetes persas e seus quadros, sob o brilho avermelhado das lâmpadas de tons matizados? E este seria o professor imponente que se inchava de orgulho atrás da grande escrivaninha em seu enorme estúdio em Enmore Park? E, por último, seria aquele sujeito a figura austera e empertigada que se levantou perante a plateia no Instituto de Zoologia? Não seria possível que alguém pudesse encontrar numa calçada de Surrey três mendigos mais esfarrapados e carentes. Estávamos, é verdade, há apenas uma semana no topo do platô, mas todas as nossas vestes e as mudas de roupas íntimas tinham ficado no acampamento lá embaixo e a semana havia sido dura para todos nós, embora menos para mim que não tive que suportar a apalpação dos homens macacos. Todos os meus três companheiros haviam perdido os chapéus e agora tinham lenços amarrados em volta da cabeça e as roupas em trapos. Seus rostos sujos e com a barba por fazer eram difíceis de reconhecer. Tanto Summerlee como Challenger mancavam bastante, enquanto eu, ainda enfraquecido pelo choque da manhã, arrastava os pés, com o pescoço tão rígido quanto uma tábua, em consequência do brutal estrangulamento que havia sofrido. Éramos de fato uma turma lamentável e não me admirava ver os indígenas que nos acompanhavam de vez em quando olharem para nós com horror e perplexidade no rosto.

No final da tarde, chegamos à beira do lago. Quando saímos do mato e vimos o espelho de água que se estendia diante de nós, os nossos amigos nativos soltaram um grito estridente de alegria e apontaram ansiosamente para a frente deles. Foi realmente uma cena maravilhosa que surgiu diante de nós. Deslizando sobre a superfície cristalina da água, avistamos uma grande flotilha de canoas vindo diretamente para a praia onde nos encontrávamos. Ainda estavam a alguns quilômetros quando as vimos pela primeira vez, mas avançaram com grande rapidez e logo chegaram tão perto que os remadores puderam nos distinguir. Instantaneamente, uma gritaria ruidosa de prazer explodiu entre eles e nós os vimos levantarem-se de seus assentos, agitando remos e lanças loucamente no ar. Depois, voltando ao trabalho, eles voaram sobre as águas, encalharam seus barcos na areia da ribanceira e correram para nós, prostrando-se com gritos de saudação diante do jovem chefe. Finalmente, um deles, um ancião, com um colar e uma pulseira de grandes contas de vidro brilhantes e a pele sarapintada de algum belo animal de cor âmbar sobre os ombros, correu para a frente e abraçou com ternura o jovem que havíamos salvado. Em seguida, ele olhou para nós e fez algumas perguntas, após o que se aproximou com muita dignidade e nos abraçou também um de cada vez. Então, a seu pedido, toda a tribo se deitou no chão diante de nós, para nos render homenagem. Pessoalmente, me senti tímido e desconfortável com essa adoração obsequiosa e li o mesmo sentimento nos rostos de Roxton e Summerlee, mas o Challenger desabrochou como uma flor ao sol.

– Esses tipos podem ser subdesenvolvidos – ele disse, acariciando a barba e olhando para eles ao redor. – Mas o comportamento deles na presença de seus superiores poderia servir de lição para alguns dos nossos europeus mais avançados. É estranho observar como são corretos os instintos do homem natural!

Estava claro que os nativos tinham saído para guerrear, pois cada homem carregava uma lança de bambu longo com ponta de osso, arco e flechas, e algum tipo de porrete, ou machado de batalha, feito de pedra, pendurado na cintura. Os olhares sombrios e enraivecidos contra a floresta de onde havíamos chegado e a repetição frequente da palavra "*Doda*" deixavam claro que se tratava de um grupo de resgate que se propusera a salvar ou vingar o filho do velho chefe, pois foi isso o que concluímos que o jovem devia ser. Um conselho de toda a tribo, agachada em círculo, então se reuniu, enquanto nós nos sentávamos perto de uma laje de basalto e observávamos os acontecimentos. Dois ou três guerreiros falaram e, finalmente, nosso jovem companheiro fez uma arenga inspirada, com características e gestos tão eloquentes que pudemos entender tudo tão claramente como se conhecêssemos a língua dele.

– Por que voltar? – ele começou a falar. – Mais cedo ou mais tarde teremos que fazer isso. Os seus companheiros foram assassinados. O que importa se eu voltei em segurança? Os outros morreram. Não há segurança para nenhum de nós. Estamos reunidos agora, e prontos...

Então, ele apontou para nós.

– Esses homens estranhos são nossos amigos. São grandes guerreiros e odeiam os homens macacos tanto quanto nós. Eles controlam – e aqui ele apontou para o céu – o trovão e o relâmpago. Quando teremos outra vez essa chance? De novo, vamos em frente, para morrer agora ou viver o futuro em segurança. De que outra forma voltaríamos para as nossas mulheres sem nos sentirmos envergonhados?

Os pequenos guerreiros de pele vermelha ouviam atentamente as palavras do orador. Quando ele terminou, irromperam numa tempestade de aplausos, agitando suas armas grosseiras no ar. O velho chefe deu um passo à nossa frente e fez algumas perguntas, apontando ao mesmo tempo para a floresta. Lorde John fez um sinal para que ele esperasse por uma resposta e então falou conosco.

– Bem, cabe a vocês decidirem o que vamos fazer – ele disse. – Da minha parte, eu tenho contas a acertar com essa gente macaco, e se terminar por eliminá-los da face da terra, não vejo como a terra se incomodaria por isso. Vou seguir com os nossos pequenos amigos de pele vermelha e estou com eles nessa briga. O que vocês têm a dizer, meus caros?

– É claro que eu também vou.
– E você, Challenger?
– Com certeza vou colaborar.
– Summerlee?
– Parece que estamos nos afastando muito do objetivo dessa expedição, lorde John. Eu posso lhe garantir que jamais me passou pela cabeça, quando deixei a minha cátedra em Londres, o propósito de liderar uma invasão de selvagens contra uma colônia de macacos antropoides!

– Às vezes também somos obrigados a fazer isso – lorde John comentou, sorrindo. – Sendo assim, então qual é a sua decisão?

– Parece um passo muito questionável – Summerlee disse, discordando até o fim. – Mas se todos vão, não vejo como posso ficar para trás.

– Então está resolvido! – lorde John concluiu.

E, voltando-se para o chefe, acenou com a cabeça e engatilhou o rifle. O velho cacique apertou as nossas mãos, cada qual por sua vez, enquanto seus guerreiros aplaudiam mais alto do que nunca. Era tarde demais para avançarmos naquela noite, então os índios organizaram um acampamento bizarro. De todos os lados, suas fogueiras começaram a brilhar e a fumegar. Alguns deles, que haviam desaparecido na selva, voltaram trazendo um filhote de iguanodonte, que, como os outros, tinha uma mancha de betume no lombo, e foi só quando vimos que um dos nativos deu um passo à frente com o ar de dono para dar seu consentimento ao abate da fera que finalmente entendemos que aquelas enormes criaturas eram de propriedade privada, como um boi num rebanho de gado e que aqueles símbolos que tanto nos intrigavam não passavam de meras marcas dos donos. Indefesos, entorpecidos e vegetarianos, com grandes membros, mas cérebros diminutos, os iguanodontes podiam ser cercados e conduzidos por uma criança. Em poucos minutos, a enorme fera capturada havia sido despedaçada e seus cortes foram pendurados em mais de uma dúzia de fogueiras, junto com grandes peixes ganoides escamosos que foram espetados no lago.

Summerlee deitou-se e dormiu na areia, mas nós outros perambulamos pela beira da água, procurando conhecer um pouco mais a respeito daquela terra estranha. Duas vezes encontramos poços de argila azul, como já tínhamos visto no pântano dos pterodátilos. Eram antigas chaminés vulcânicas que, por algum motivo, despertavam muita curiosidade em lorde John. Por outro lado, o que atraía Challenger era um gêiser fervente que borbulhava, pois algum gás estranho formava grandes bolhas que estouravam na superfície. Ele empurrou um bambu oco lá dentro e gritou com prazer de estudante, quando foi capaz de, ao tocá-lo com um fósforo aceso, causar uma forte explosão e lançar uma chama azul na outra ponta do tubo. O professor ficou ainda mais satisfeito quando, ao colocar uma bolsa de couro virada do lado do avesso na ponta da palheta, encheu-a de gás, conseguiu soltá-la, subindo no ar.

– Esse é um gás inflamável, nitidamente mais leve que a atmosfera. Devo dizer, sem sombra de dúvida, que contém uma proporção considerável de hidrogênio livre. Os recursos do G. E. C. ainda não se esgotaram, meu caro jovem. Ainda posso lhe mostrar como uma mente privilegiada consegue moldar a natureza para colocá-la a seu serviço.

Ele se referia a algum propósito secreto, mas não disse mais nada.

Nada do que pudéssemos ver na margem me parecia tão maravilhoso quanto a grande lâmina de água diante de nós. O nosso grupo e o barulho que fazíamos tinham assustado todas as criaturas vivas e, a não ser por alguns pterodátilos, que voavam em círculos muito acima de nossas cabeças enquanto esperavam pelos restos da carniça, tudo o mais estava quieto ao redor do acampamento, mas não se podia dizer o mesmo da água rosada do lago central, que fervilhava e palpitava como se tivesse uma estranha vida própria. Grandes dorsos da cor de ardósia e altas barbatanas dorsais serrilhadas subiam com uma franja de água prateada e depois rolavam de novo para as profundezas. Os bancos de areia bem distantes estavam repletos de formas de vida rastejantes, como tartarugas enormes, sáurios estranhos e grandes criaturas achatadas, que pareciam tapetes pretos, oleosos, palpitantes, que se retorciam para descer lentamente até o lago. Aqui e ali, altas cabeças de serpentes projetavam-se para fora da água, cortando-a rapidamente com um pequeno colarinho de espuma na frente, deixando um longo rastro em redemoinho para trás, subindo e descendo em ondulações graciosas como se fossem cisnes. Quando uma dessas criaturas se retorceu sobre um banco de areia, a algumas centenas de metros de nós, expondo seu corpo em forma de barril e suas enormes nadadeiras atrás do longo pescoço de serpente, Challenger e Summerlee se juntaram a nós, entoando um dueto de espanto e admiração.

– Um plesiossauro! Um plesiossauro de água doce! – Summerlee gritou. – Eu vivi para ter essa visão! Meu caro Challenger, somos os zoólogos mais abençoados de todos os tempos, desde que o mundo é mundo!

Não foi antes da noite cair e das fogueiras dos nossos aliados selvagens brilharem nas sombras, que os nossos dois cientistas puderam ser arrastados para longe do fascínio daquele lago primitivo. Apesar da escuridão, quando nos deitamos na areia, ainda ouvíamos de tempos em tempos os ruídos da respiração e dos mergulhos das enormes criaturas que por ali viviam.

No início da madrugada, levantamos acampamento e, uma hora depois, partimos para a nossa memorável expedição. Muitas vezes, em meus sonhos, eu imaginava que um dia poderia ser correspondente de guerra. Porém, jamais me passaria pela cabeça, nem no mais extravagante desses sonhos, conceber a natureza da campanha que o destino me encarregaria de informar! A seguir, envio o meu primeiro despacho de um campo de batalha.

A nossa tropa foi reforçada durante a noite por um novo grupo de nativos que veio das cavernas. Talvez tivéssemos quatrocentos ou quinhentos homens fortes quando iniciamos o nosso avanço. Uma guarda de batedores saiu na frente e, atrás deles, seguia toda a força, numa coluna sólida que subiu a longa encosta da mata até nos aproximarmos da orla da floresta. Os guerreiros então se espalharam numa longa linha de lanceiros e arqueiros. Roxton e Summerlee assumiram posição no flanco direito, enquanto Challenger e eu ficamos à esquerda. Era um exército da idade da pedra que acompanhávamos para a batalha – nós, com os mais recentes lançamentos dos armeiros da St. James Street e do Strand.

Não tivemos que esperar muito pelo inimigo. Um clamor estridente, selvagem, subiu da orla da floresta e, de repente, um grupo de homens macacos saiu correndo com paus e pedras em direção ao centro da linha indígena. Foi um movimento ousado, mas tolo, pois as grandes criaturas de pernas tortas eram lentas, enquanto seus oponentes eram tão ágeis como gatos. Era horrível ver aqueles indivíduos ferozes, de olhar enfurecido, espumando pela boca, correndo atrás dos inimigos, porém sempre deixando que escapassem, enquanto flechas certeiras se cravavam em seus corpos. Um grande sujeito desses passou correndo por mim, urrando de dor, com uma dúzia de setas atravessadas no peito e saindo pelas costelas. Por misericórdia, acertei-lhe uma bala no crânio e ele tombou entre os aloés. No entanto, esse foi o único tiro que eu disparei, pois o ataque visava o centro da linha e os índios de lá não precisaram de nossa ajuda para rechaçá-lo. De todos os homens macacos que saíram correndo em campo aberto, não creio que algum tenha voltado a se refugiar entre as árvores.

Mas a situação se tornou ainda mais tétrica quando chegamos às árvores. Por uma hora ou mais depois que entramos na floresta, houve uma luta desesperada durante a qual, por um tempo, apenas pudemos nos defender. Saltando dos arbustos, os homens macacos atacavam com porretes enormes no meio dos índios, frequentemente derrubando três ou quatro deles antes que fossem transpassados por lanças. Os terríveis golpes deles destroçavam tudo o que encontravam pela frente. Um desses golpes acertou a coronha do rifle de Summerlee que se estilhaçou em cacos e outro esmagaria seu crânio se um índio não tivesse apunhalado o coração da fera atacante. Das árvores acima de nós, outros homens macacos arremessavam pedras e galhos e eventualmente saltavam sobre as nossas fileiras, lutando furiosamente até morrer. Houve um momento em que os nossos aliados chegaram a recuar sob a pressão deles e se não fosse o estrago feito pelos nossos rifles, certamente acabariam em debandada. Porém, eles foram valentemente reagrupados pelo velho cacique e avançaram com tanto ímpeto que os homens macacos começaram, por sua vez, a retroceder. Summerlee estava desarmado, mas eu esvaziava o meu carregador tão rápido quanto possível e no outro flanco ouvíamos o barulho contínuo dos rifles dos nossos companheiros.

Então, houve um momento de pânico entre os homens macacos e a organização deles desmoronou. Gritando e uivando, as grandes criaturas correram pelo mato em todas as direções, enquanto os nossos aliados gritavam de alegria selvagem, perseguindo rapidamente seus inimigos fugitivos. Todos os conflitos de incontáveis gerações, todos os ódios e crueldades de uma história sofrida, todas as memórias de maus tratos e perseguições acabaram sendo purgadas naquele dia. No final, o ser humano teria sua supremacia confirmada e o homem fera se recolheria para sempre no lugar que lhe cabia. Em qualquer direção que tentassem escapar, os fugitivos eram lentos demais para se livrarem dos ágeis indígenas. De todos os cantos da selva emaranhada ouvíamos a exultante gritaria, o zunido das flechas e os galhos se quebrando quando os homens macacos eram golpeados e caíam de seus esconderijos nas árvores.

Eu seguia os outros, quando percebi que lorde John e Challenger haviam se aproximado para se juntarem a nós.

– Acabou – lorde John disse. – Acho que podemos deixar a tarefa de limpeza para eles. Certamente quanto menos nos envolvermos, melhor dormiremos.

Os olhos de Challenger brilhavam diante da luxúria da matança.

– Tivemos o privilégio – ele gritou, exibindo-se como um bruxo – de participar de uma típica batalha decisiva da História, uma batalha determinante para os destinos do mundo. Meus amigos, o que é a conquista do mundo, de uma nação pela outra? Nada! Todas as conquistas produzem o mesmo resultado, mas essas lutas ferozes, quando no alvorecer dos séculos os habitantes das cavernas derrotaram a ferocidade dos tigres, ou quando os elefantes entenderam pela primeira vez que tinham que seguir um mestre, essas foram as verdadeiras conquistas, as vitórias que contam. Por uma estranha reviravolta do destino, vimos e ajudamos a decidir uma dessas disputas. Agora, neste platô, para sempre o futuro pertencerá ao homem.

Era preciso ter uma fé muito robusta nos fins para justificar os meios trágicos empregados. À medida que avançávamos pela floresta, fomos encontrando homens macacos amontoados, trespassados por lanças ou flechas. Aqui e ali um pequeno grupo de índios destroçados marcava o local onde um antropoide vendeu caro sua vida. À nossa frente, ainda ouvíamos os gritos e os rugidos que mostravam a direção da perseguição. Os homens macacos tinham sido levados de volta à aldeia, onde esboçaram uma derradeira resistência. Porém, mais uma vez eles haviam sido derrotados e chegávamos a tempo de assistir à última cena, a mais terrível de todas. Cerca de oitenta ou cem machos, os últimos sobreviventes, haviam recuado para a mesma pequena clareira que levava à beira do penhasco, o cenário de nossa própria façanha dois dias antes. Quando chegamos, os índios os cercaram, formando um semicírculo de lanceiros e, em menos de um minuto, tudo terminou. Uns trinta ou quarenta morreram onde estavam. Os outros, gritando apavorados, foram empurrados para o precipício, onde caíram, como faziam com seus prisioneiros, nos bambus afiados, duzentos metros abaixo. Foi como Challenger disse: o reinado do homem estava garantido para sempre na Maple White Land! Os machos foram exterminados, a aldeia dos macacos foi destruída. As fêmeas e os jovens foram levados à força, para viverem na escravidão. E a longa rivalidade que havia perdurado por incontáveis séculos terminou nesse final sangrento.

Para nós, a vitória teve várias vantagens. Novamente pudemos voltar ao nosso acampamento, onde recuperamos as provisões. Mais uma vez também pudemos nos comunicar com Zambo, que a distância havia assistido aterrorizado ao espetáculo de uma avalanche de macacos caindo da beira do penhasco.

– Venham embora, *Mastas*, venham embora! – ele gritou, de olhos esbugalhados. – O demônio com certeza vai buscá-los se ficarem aí.

– É a voz do bom senso! – Summerlee disse, com convicção. – Já tivemos aventuras suficientes e elas não foram adequadas nem ao nosso caráter e nem à nossa posição. Concordo com suas palavras, Challenger. A partir de agora, você deve dedicar todas as suas energias a nos tirar desse lugar medonho para voltarmos à civilização.

Os nossos olhos viram grandes maravilhas

Escrevo dia a dia, mas espero que, antes de terminar o relato de hoje, eu possa, afinal, dizer que a luz brilha entre as nuvens negras que não nos largam. Estamos presos aqui, sem meios claros de escapar e isso nos irrita amargamente. No entanto, posso muito bem imaginar que chegará o dia em que poderemos nos alegrar porque tivemos o privilégio, contra nossa vontade, de ver de perto as maravilhas desse lugar incrível e as criaturas que o habitam.

A vitória dos índios e a aniquilação dos homens macacos marcaram o ponto de inflexão do nosso destino. A partir daí, realmente nos tornamos senhores do platô, já que os nativos nos viam com um misto de medo e gratidão, pois, com os nossos estranhos poderes, nós os ajudamos a destruir seus inimigos hereditários. Talvez, para seu próprio bem, eles se alegrassem com a partida de pessoas tão formidáveis e incompreensíveis como nós. Mas eles próprios não eram capazes de sugerir nenhum meio pelo qual pudéssemos alcançar as planícies lá embaixo. Existiria, até onde podíamos entender pelos sinais deles, um túnel pelo qual o lugar poderia ser abordado e que seria a saída inferior que havíamos visto de baixo. Por ali, sem dúvida, tanto os homens macacos quanto os índios haviam chegado ao topo em diferentes épocas. Maple White e seu companheiro tinham seguido o mesmo caminho. No ano anterior, porém, ocorreu um terrível terremoto e a extremidade superior do túnel desmoronou, desaparecendo completamente. Assim, os índios só puderam menear a cabeça e dar de ombros quando expressamos por meio de sinais o nosso desejo de descer. Talvez eles não pudessem nos ajudar, mas talvez também não quisessem fazer isso.

No final da campanha vitoriosa, o povo macaco sobrevivente foi conduzido pelo platô (a lamentação daquela gente era terrível) até perto das cavernas indígenas, onde se tornaria, a partir de então, uma raça servil aos olhos de seus senhores das cavernas. Era uma versão grotesca, rude e primitiva do cativeiro dos judeus na Babilônia ou do êxodo dos israelitas no Egito. À noite, quando ouvíamos a incessante choradeira em meio às árvores, pensávamos infalivelmente em algum Ezequiel primitivo lamentando a grandeza perdida e recordando a glória caída da cidade dos homens macacos. Lenhadores e carregadores de água, era o que eles seriam dali em diante.

Dois dias depois da batalha voltamos a atravessar o platô com os nossos aliados e acampamos ao pé dos penhascos que eles habitavam. De bom grado, eles teriam compartilhado suas cavernas conosco, mas lorde John não consentiu de modo algum, já que isso nos colocaria sob seu domínio, se tivessem a intenção de nos trair. Assim, mantivemos a nossa independência e deixávamos as nossas armas prontas para qualquer eventualidade, apesar de preservarmos as relações mais amistosas possíveis. Também visitávamos sempre as cavernas deles, que eram lugares notáveis, embora jamais tenhamos conseguido determinar se foram feitas pelo homem ou pela natureza. Estavam todas assentadas numa única camada na rocha macia, entre o basalto vulcânico que formava as falésias avermelhadas acima deles e o granito duro que formava a base.

As aberturas ficavam a mais de vinte metros do chão e eram acessadas por longas escadas de pedra, tão estreitas e íngremes que nenhum animal maior poderia subir por elas. Internamente, eram quentes e secas, interligadas por passagens retas de comprimento variável na lateral da colina, com paredes cinzentas lisas, decoradas com muitas belas figuras, feitas com gravetos carbonizados, representando os vários animais do platô. Se todos os seres vivos desaparecessem da região, algum explorador do futuro encontraria nas paredes dessas cavernas amplas evidências dessa estranha fauna – dinossauros, iguanodontes e lagartos marinhos – que vivera tão recentemente na Terra.

Desde que soubemos que os enormes iguanodontes eram manejados como rebanhos mansos por seus donos e considerados simplesmente reservas ambulantes de carne, havíamos compreendido que o homem, mesmo com armas primitivas, estabelecera sua dominância no platô. Logo descobrimos que não era bem assim e que o ser humano ainda estava lá meramente por tolerância.

Foi no terceiro dia depois que montamos o nosso acampamento perto das cavernas indígenas que a tragédia ocorreu. Challenger e Summerlee saíram juntos para o lago, onde alguns nativos, sob a direção deles, estavam empenhados em arpoar espécimes dos grandes lagartos. Lorde John e eu permanecemos no acampamento, enquanto vários índios estavam espalhados pela encosta gramada em frente às cavernas, engajados em diferentes atividades. De repente, houve um grito estridente de alarme, com a palavra "*Stoa*" ecoando em uma centena de bocas. De todos os lados, homens, mulheres e crianças correram loucamente em busca de abrigo, subindo as escadas e entrando nas cavernas em desesperada debandada.

Olhando para cima, podíamos vê-los nas rochas, balançando os braços, acenando para que nos juntássemos a eles em seu refúgio. Ambos pegamos os rifles e corremos para ver qual era o perigo. De repente, do cinturão de árvores próximo, irrompeu um grupo de doze ou quinze índios, correndo tanto que parecia que suas vidas estavam em jogo. No encalço deles, surgiram dois daqueles monstros assustadores que haviam perturbado o nosso acampamento e que me perseguiram em minha jornada solitária. Eles tinham a aparência de sapos medonhos e se moviam numa sucessão de saltos, mas o tamanho era de um volume incrível, maior que o maior dos elefantes. Nunca os tínhamos visto, exceto à noite. Na verdade, são animais de hábitos noturnos, que só saem de seus covis quando perturbados, como havia acontecido. Ficamos maravilhados ao vê-los, pois suas peles manchadas, cheias de verrugas, possuíam um brilho curioso, semelhante ao dos peixes e os raios do sol resplandeciam nelas como o arco-íris, sempre variando quando eles se movimentavam.

Tivemos pouco tempo para observá-los, porém, num instante eles alcançaram os fugitivos e fizeram um terrível massacre entre eles. O método de ataque das feras era cair para a frente com todo o peso em cima dos índios, esmagando-os e mutilando-os, uns após os outros. Os índios perseguidos gritavam de terror, mas por mais que corressem, estavam indefesos diante da determinação implacável e da agilidade incrível daquelas criaturas monstruosas. Eles tombavam um após o outro e não restava mais de meia dúzia de sobreviventes quando o meu companheiro e eu saímos para acudi-los. Mas nossa ajuda foi de pouco proveito e só nos envolveu no mesmo perigo.

A distância de algumas centenas de metros, esvaziamos os nossos carregadores, disparando bala após bala contra as feras, mas sem maior efeito do que se estivéssemos atirando-lhes bolinhas de papel. A natureza reptiliana lenta desses animais não se importava com os ferimentos e suas conexões vitais, sem nenhum centro especializado no cérebro, mas espalhadas por toda a medula espinhal, não podiam ser aniquiladas por nenhuma arma moderna. O máximo que podíamos fazer era conter o avanço deles, distraindo-lhes a atenção com o clarão e estrondo das nossas armas, dando assim aos nativos e a nós mesmos tempo para alcançarmos os degraus que nos levariam a um local seguro. Porém, onde as balas cônicas explosivas do século XX não adiantavam, as flechas envenenadas dos indígenas, embebidas em suco de estrofanto e mergulhadas depois em carniça podre, poderiam ter sucesso. Essas flechas eram de pouca utilidade para os caçadores que atacavam as feras, porque a ação delas na circulação entorpecida desses animais era demorada e, antes que eles ficassem debilitados, certamente poderiam alcançar e matar os agressores. Mas então, quando os dois monstros nos caçaram até o pé da escada, um enxame de flechas sibilantes foi arremessado de cada fenda no penhasco acima deles.

Em um minuto, eles pareciam emplumados delas, mas, ainda assim, sem nenhum sinal de dor, arranhavam e mordiam com raiva impotente os degraus que os levariam às vítimas, subindo desajeitadamente alguns metros e, em seguida, despencando de novo no chão. Isso, até que finalmente o veneno funcionou. Ao cair, um deles bateu sua enorme cabeça achatada na terra, soltando um gemido profundo. O outro passou a saltar em círculos excêntricos, lançando gritos e gemidos estridentes. Depois, deitou-se, contorcendo-se em agonia por alguns minutos, antes que também enrijecesse e ficasse imobilizado. Com gritos de triunfo, os índios saíram correndo de suas cavernas, para a comemoração com uma dança frenética de vitória em volta dos cadáveres, em louca alegria, porque mais dois dos mais perigosos de todos os seus inimigos haviam sido mortos. Naquela noite, eles esquartejaram e removeram os corpos, não para comer, pois o veneno ainda estava ativo, mas para que não produzissem doenças. Os corações dos grandes monstros reptilianos, porém, cada um deles tão grande quanto um travesseiro, ainda ficaram lá, batendo lenta e firmemente, com uma suave contração, numa horrível vida independente. Foi só no terceiro dia que esses músculos deixaram de pulsar e aquelas feras medonhas morreram definitivamente.

Algum dia, quando tiver uma superfície melhor do que uma lata de carne e ferramentas mais úteis do que um toco de lápis gasto e um caderno estropiado, vou escrever um relato mais completo sobre os índios Accala, a nossa vida entre eles e as maravilhas que vislumbramos nas estranhas condições da fascinante Maple White Land.

Memória, pelo menos, jamais me falhará, enquanto o sopro da vida estiver em mim. Todos os momentos e todas as ações desse período permanecerão gravados tão firmes quanto os primeiros acontecimentos relevantes da infância. Nenhuma nova impressão poderá apagar essas que ficaram tão profundamente registradas. Ao chegar a hora, descreverei aquela maravilhosa noite de luar sobre o grande lago quando um jovem ictiossauro – uma criatura estranha, meio foca e meio peixe, com olhos alojados em cavidades ósseas, uma em cada lado do focinho, além de um terceiro olho fixado no topo de sua cabeça – se prendeu numa rede indígena e quase virou a nossa canoa antes que conseguíssemos rebocá-la para a margem. Nessa mesma noite, uma cobra d'água verde saiu do bambuzal e carregou, enrolado em suas espirais, o timoneiro da canoa do Challenger. Também contarei sobre a grande criatura notívaga, até hoje não sabemos se mamífero ou réptil, que vivia em um pântano infecto a leste do lago e que fugiu deixando um fraco reflexo fosforescente na escuridão. Os índios ficavam tão aterrorizados com ela que não chegavam perto do local e, embora tivéssemos feito duas expedições e a visto em ambas as vezes, não podíamos atravessar o profundo pântano em que esse animal vivia. Só posso dizer que parecia maior que uma vaca e tinha um odor almiscarado muito estranho. Contarei ainda sobre a imensa ave que certo dia perseguiu Challenger até o abrigo nas rochas. Era um grande pássaro corredor, bem mais alto do que um avestruz, com o pescoço parecido com o de um abutre e uma cabeça ferina, que o fazia parecer a morte ambulante. Quando Challenger subia para se proteger, uma bicada feroz arrancou-lhe o salto de sua bota, como se tivesse sido cortado com um cinzel. Dessa vez, pelo menos, as armas modernas prevaleceram e a grande criatura – de uns três metros da cabeça aos pés e cujo nome era *fororacos*, segundo o nosso alvoroçado e ofegante professor – tombou diante do rifle de lorde Roxton, agitando as penas e estrebuchando os membros, com seus implacáveis olhos amarelos esbugalhados em meio a tudo isso. Espero viver para contemplar aquele crânio cruel e achatado ser colocado em seu próprio nicho em meio aos troféus do Albany. E, por fim, com certeza darei explicações sobre o toxodonte, uma cobaia gigante de três metros de comprimento, com dentes cinzelados, que matamos quando bebia água de manhã cedo à beira do lago.

    A respeito de tudo isso escreverei um dia com mais detalhes. Contarei daquelas jornadas mais agitadas, retratando ternamente as belas noites de verão, quando, sob o profundo céu azul acima de nós, deitávamos em boa camaradagem entre as altas gramíneas na orla da floresta, maravilhados com as estranhas aves que passavam por nós e as curiosas desconhecidas criaturas que se arrastavam de suas tocas para nos observar, enquanto acima de nós os ramos dos arbustos estavam cheios de frutos deliciosos e, abaixo de nós, flores estranhas e adoráveis nos espreitavam no meio do mato. Recordarei aquelas longas noites de luar, que passamos junto da superfície cintilante do grande lago, observando maravilhados e assombrados os imensos círculos ondulantes causados pelo repentino jato de algum monstro fantástico ou o brilho esverdeado, bem no fundo da água, de alguma criatura estranha esgueirando-se nos confins da escuridão. São essas as cenas que, algum dia no futuro, a minha mente e a minha caneta descreverão com todos os detalhes.

Mas, alguém perguntará, por que essas experiências e por que essa demora, quando você e seus companheiros deveriam estar ocupados dia e noite com a elaboração de alguns meios pelos quais vocês poderiam retornar ao mundo exterior? A minha resposta é que não havia um de nós que não estivesse trabalhando para esse fim, mas o nosso trabalho era em vão. Um fato que descobrimos muito rapidamente foi que os índios nada fariam para nos ajudar. De qualquer forma, eles eram nossos amigos e quase se poderia dizer que eram nossos devotados escravos, mas quando lhes sugerimos que eles deveriam nos ajudar a fazer e transportar uma prancha que pudesse servir de ponte para atravessarmos o abismo, ou quando pedimos que nos fornecessem tiras ou correias de couro, ou até mesmo cipós para tecermos cordas que pudessem nos ajudar, esbarramos com uma recusa bem-humorada, mas irrevogável. Eles sorriram, piscaram os olhos, sacudiram a cabeça e nada mais. Até mesmo o velho cacique nos respondeu com a mesma negativa obstinada. Só Maretas, o jovem que havíamos salvado, olhou melancólico para nós e nos disse, com gestos, que ficava aflito pela frustração de nossos desejos. Desde o triunfo completo contra os homens macacos, eles nos viam como super-homens, que traziam a vitória nos canos daquelas armas estranhas e acreditavam que, enquanto permanecêssemos com eles, a boa sorte os acompanharia. Uma pequena esposa indígena e uma caverna foram oferecidas gratuitamente a cada um de nós, para esquecermos o nosso próprio povo e para que ficássemos para sempre no platô. Até então tudo vinha correndo muito bem, por mais que tivéssemos desejos divergentes, mas percebemos claramente que os nossos planos de descida deviam ser mantidos em segredo, pois tínhamos motivos para temer que, no fim das contas, eles quisessem impedir à força a nossa saída.

Apesar do perigo representado pelos dinossauros – que não é grande, exceto à noite, pois, como já disse antes, eles têm principalmente hábitos noturnos – voltei duas vezes nas últimas três semanas ao nosso antigo acampamento, a fim de verificar se o nosso ajudante negro ainda vigiava aos pés do penhasco. Os meus olhos vasculharam avidamente a grande planície, na esperança de avistar ao longe a ajuda que havíamos solicitado. Mas as longas planuras cobertas de cactos ainda se estendiam vazias e desertas, até a distante linha de bambuais no horizonte.

– Eles chegarão logo, *Masta* Malone. Antes que outra semana passe, o índio vai voltar, trazendo corda para buscar vocês – era isso o que gritava alegremente o nosso dedicado Zambo.

Eu tive uma experiência estranha quando voltava dessa segunda visita, na qual fui obrigado a passar uma noite longe dos meus companheiros. Estava retornando ao longo da rota bem demarcada e tinha alcançado um ponto que ficava a cerca de um quilômetro e meio do pântano dos pterodátilos, quando avistei um objeto extraordinário se aproximando de mim: um homem caminhava embaixo de uma estrutura feita de bambus torcidos, de modo que estava trancado por todos os lados numa gaiola em forma de sino. Ao me aproximar, fiquei ainda mais espantado ao ver que era lorde John Roxton. Quando ele me viu, saiu de sua curiosa capa de proteção e aproximou-se de mim rindo, apesar de, pelo que achei, demonstrar alguma confusão em suas atitudes.

– Bem, meu caro... – ele comentou. – Quem imaginaria encontrá-lo por aqui?

– O que está fazendo? – perguntei.

– Visitando meus amigos, os pterodátilos – ele respondeu.

– Mas por quê?

– São animais interessantes, não acha? Mas insociáveis, grosseiros e desagradáveis com estranhos, como você deve se lembrar! Então, improvisei essa estrutura que os impede de serem muito inconvenientes em suas abordagens.

– Mas o que você procura no pântano?

Ele olhou para mim com um olhar meio duvidoso e notei hesitação em seu rosto.

– Você acha que só pessoas como os professores podem querer saber das coisas? – ele finalmente retrucou. – Estou estudando essas belezas. Isso deve bastar para você.

– Não se ofenda – revidei.

Ele recuperou o bom humor e riu.

– Não me ofendi, meu caro. Vou pegar um frango desses para o Challenger. Essa é uma das minhas tarefas. Mas não preciso da sua ajuda. Estou seguro nessa gaiola e você não. Até logo. Estarei de volta ao acampamento quando anoitecer.

Ele se virou e eu o deixei perambulando pelo bosque com aquela extraordinária proteção ao seu redor.

Se o comportamento de lorde John nessa ocasião foi estranho, o de Challenger foi ainda mais. Devo dizer que ele parecia possuir um fascínio extraordinário pelas mulheres indígenas e que sempre carregava um grande galho de palmeira em forma de leque com o qual as espantava como se fossem moscas, quando suas atenções se tornavam muito insistentes. Vê-lo andando como o sultão de uma ópera-bufa, com esse símbolo de autoridade na mão, a barba preta eriçada diante de si, os dedos dos pés levantados a cada passo e uma fileira de garotas indígenas de olhos arregalados atrás dele – vestidas apenas com sumárias tangas de tecidos de casca de árvore – é uma das cenas mais grotescas que guardarei para sempre na memória. Quanto ao Summerlee, estava interessado na vida dos insetos e dos pássaros do platô e passava todo o seu tempo – exceto aquela parte considerável que dedicava a insultar o Challenger por não nos tirar das nossas dificuldades – na preparação e montagem de suas amostras.

Challenger tinha o hábito de sair sozinho todas as manhãs e voltar de vez em quando com ares de pompa solenidade, como alguém que carrega todo o peso de uma grande responsabilidade sobre os ombros. Um dia, com o galho de palmeira na mão e sua multidão de devotas adoradoras atrás, ele nos levou até sua oficina escondida e nos revelou seus planos secretos.

O lugar era uma pequena clareira no centro de um bosque de palmeiras, onde havia um daqueles gêiseres de lama fervente que já descrevi. Ao redor da borda estavam espalhadas várias tiras de couro, cortadas de um iguanodonte, e uma grande membrana vazia, que comprovadamente era o estômago seco e raspado de um dos grandes peixes lagartos do lago. Essa enorme bexiga tinha sido costurada numa extremidade, com apenas um pequeno orifício sendo deixado na outra. Nessa abertura, algumas varas de bambu foram inseridas e as outras extremidades desses bambus estavam em contato com funis cônicos de argila, que coletavam os gases que borbulhavam na lama do gêiser. Logo, a bolsa flácida começou a se encher lentamente e a mostrar tamanha tendência a movimentos ascendentes que o Challenger amarrou os cordões que a prendiam nos troncos das árvores ao redor. Em meia hora, um balão de gás de bom tamanho tinha se formado e os puxões e as correias esticadas mostravam que ele era capaz de uma subida considerável. Challenger, como o pai feliz na presença de seu primogênito, ficou sorrindo, acariciando a barba em silêncio, satisfeito consigo, por sua inteligência, enquanto olhava para sua criação. Summerlee foi quem primeiro quebrou o silêncio.

– Challenger, você está querendo dizer que vamos nessa coisa? – ele questionou, num tom de voz amargurado.

– Quero dizer, meu caro Summerlee, que vou lhes fazer uma demonstração do que é possível, de modo que, depois de ver, eu tenho certeza, vocês não hesitarão em confiar nisso sem pestanejar.

– Pode tirar isso da sua cabeça já, imediatamente! – Summerlee retrucou com voz firme. – Nada no mundo me induziria a cometer tal insanidade. Lorde John, confio que você não vá tolerar tamanha loucura...

– Achei a ideia muito engenhosa... – comentou o nosso colega nobre. – Gostaria de ver como funciona.
– Você verá – Challenger disse. – Há alguns dias tenho dedicado todas as forças do meu cérebro a respeito da questão sobre como desceremos desses penhascos. Já verificamos que não podemos descer e que não existe nenhum túnel. Também não podemos construir nenhum tipo de ponte que nos leve de volta ao pináculo de onde viemos. Então, como encontrar um meio para nos transportar? Há pouco tempo, eu comentei com nosso jovem companheiro que hidrogênio livre se desprendia do gêiser. Fiquei, admito, um pouco perplexo diante da dificuldade de descobrir um invólucro para conter o gás, mas a contemplação das imensas entranhas desses répteis me forneceu a solução do problema. Observem o resultado!

Ele abriu os braços, mostrando uma mão ao lado da jaqueta esfarrapada e esticando orgulhosamente a outra mão. A essa altura, a bolsa de gás estava inchada como uma verdadeira esfera e puxava fortemente as amarras.

– Loucura de verão! – Summerlee esbravejou.

Lorde John ficou encantado com a ideia.

– Esse velhote é mesmo esperto e inteligente, não é? – ele sussurrou para mim e em seguida perguntou para o Challenger. – E o cesto do balão?

– O cesto será a minha próxima tarefa. Já planejei como fazê-lo e prendê-lo. Enquanto isso, vou simplesmente mostrar a vocês como o meu aparelho é capaz de suportar o peso de cada um de nós.

– Todos nós, espero...

– Não! O meu plano é que cada um desça por sua vez, como num paraquedas e que o balão seja puxado para cima, por meios que não terei dificuldade em aperfeiçoar. Se suportar o peso de um homem e se fizer com que ele pouse suavemente, o equipamento terá cumprido seu papel. Agora mostrarei a capacidade do balão para esses fins.

Ele pegou um pedaço de rocha basáltica de tamanho considerável, trabalhado no centro de modo que uma corda pudesse ser facilmente atada a ele. Essa corda era a mesma que trouxemos conosco para o platô, depois de usá-la para escalar o pináculo. Tinha mais de trinta metros de comprimento e, embora fina, era muito forte. O professor havia preparado uma espécie de colar de couro com muitas tiras penduradas. Esse colar foi colocado sobre a cúpula do balão e as correias de suspensão foram reunidas embaixo, de modo que a pressão de qualquer peso seria distribuída sobre uma superfície considerável. Então, o pedaço de basalto foi amarrado às correias e a corda, pendurada no final, foi passada três vezes ao redor do braço do professor.

– Eu agora vou – Challenger disse, com um sorriso antecipado de satisfação – demonstrar o poder de carga do meu balão.

Ao dizer isso, ele cortou com uma faca as várias amarras que o prendiam.

Nunca a nossa expedição esteve em perigo mais iminente de aniquilação completa. A membrana inflada subiu com velocidade assustadora no ar. Em um instante Challenger foi puxado para fora e arrastado nos ares. Tive apenas tempo de agarrá-lo pela cintura enquanto ele subia e era chicoteado no ar pelo vento. Lorde John me segurou pelas pernas com um aperto que lembrava a força da mola de uma ratoeira, mas senti que também ele perdia contato com o chão. Por um momento imaginei quatro aventureiros flutuando como uma fieira de salsichas sobre a terra que tinham explorado. Mas felizmente havia limites para a tensão que a corda poderia suportar, embora aparentemente nenhum limite para os poderes de elevação daquele equipamento infernal. Houve um estalo forte e caímos amontoados no chão, com a corda se enrolando por cima de nós. Quando conseguimos ficar em pé, cambaleantes, vimos ao longe, no profundo céu azul, uma mancha escura. Era o pedaço de basalto se perdendo em seu caminho.

– Esplêndido! – gritou o destemido Challenger, esfregando o braço dolorido. – Uma demonstração completa e satisfatória! Eu não poderia ter previsto tal sucesso. Dentro de uma semana, senhores, prometo que um segundo balão estará preparado e que vocês poderão contar com segurança e conforto na primeira etapa do caminho da nossa viagem de volta para casa.

Até aqui, registrei cada um desses eventos conforme eles ocorreram. Agora, estou encerrando esta minha narrativa no antigo acampamento, onde Zambo nos esperou por tanto tempo, com todas as dificuldades e os perigos que foram deixados como um sonho para trás de nós, no cume daqueles enormes penhascos vermelhos que se elevavam acima de nossas cabeças.

Descemos em segurança, embora de maneira inesperada, mas tudo está bem conosco. Em seis semanas, ou dois meses, estaremos em Londres. É até possível que esta carta não chegue a você muito antes do que nós. Os nossos corações já anseiam e os nossos pensamentos voam em direção à nossa grande cidade natal, a qual contém tudo o que amamos.

Foi exatamente na mesma noite de nossa aventura perigosa com o balão caseiro de Challenger que ocorreu a mudança da nossa sorte. Eu disse que a única pessoa de quem tivemos algum sinal de simpatia em nossas tentativas de fugir foi o jovem chefe que havíamos resgatado. Ele era o único que não tinha interesse em nos reter contra a nossa vontade nessa terra estranha e nos havia feito entender isso claramente por sua expressiva linguagem de sinais. Naquela noite, depois do entardecer, ele desceu ao nosso pequeno acampamento e me entregou – por alguma razão, ele sempre era atencioso comigo, talvez porque eu tivesse quase a mesma idade dele – um pequeno rolo de casca de árvore. Em seguida, apontando solenemente para a fileira de cavernas acima dele, ele colocou o dedo nos lábios, em sinal de segredo e voltou sorrateiramente para seu povo.

Aproximei o pedaço de casca da luz do fogo e todos juntos o examinamos. Tinha cerca de trinta centímetros quadrados de área e no lado interno havia um arranjo singular de linhas.

Eles haviam sido cuidadosamente feitos com carvão sobre a superfície branca e, à primeira vista, me pareceram como um tipo de partitura musical.

— Seja lá o que for, posso jurar que é de grande importância para nós — eu disse. — Eu pude ler no isso rosto dele quando ele me entregou esse objeto.

— A menos que tenhamos encontrado um brincalhão primitivo — sugeriu Summerlee — porque eu acho que a brincadeira foi um dos fatores mais elementares do desenvolvimento humano.

— É claramente algum tipo de escrita — Challenger afirmou.

— Parece um quebra-cabeças de competição, cujo prêmio é uma moeda de um guinéu — observou lorde John, esticando o pescoço para dar uma olhada.

Então, de repente, ele estendeu a mão e pegou o quebra-cabeça.

— Por São Jorge! — ele exclamou. — Acho que entendi. O rapaz adivinhou logo na primeira vez. Vejam isso! Quantas marcas estão nesse papel? Dezoito. Bem, se vocês pensarem nisso, existem dezoito aberturas de cavernas na colina acima de nós.

— Ele apontou para as cavernas quando me deu o rolo — concordei.

— Pois bem, isso esclarece tudo. Esse é um mapa das cavernas. Certo? Dezoito delas, todas em sequência, algumas curtas, outras profundas, algumas com ramificações, iguais às que vimos. É um mapa e aqui há uma cruz nela. Para que serve a cruz? Foi colocada para marcar uma caverna que é muito mais profunda do que as outras.

— Uma caverna que atravessa para o outro lado! — exclamei.

— Acho que o nosso jovem companheiro aqui decifrou o enigma... — Challenger concluiu. — Se a caverna não fosse uma passagem, eu não entenderia por que essa pessoa, que tem todos os motivos para nos querer bem, haveria de chamar a nossa atenção para ela, mas se ela for uma passagem e sair no ponto correspondente do outro lado, não teremos que descer mais do que trinta metros.

— Trinta metros... — resmungou Summerlee.

— Bem, a nossa corda certamente tem mais de trinta metros! — exclamei. — Sem dúvidas, nós poderíamos descer...

— E os índios na caverna? — Summerlee argumentou.

– Não há índios que fiquem em nenhuma das cavernas acima das nossas cabeças – eu disse. – Todas são usadas apenas como celeiros e depósitos. Por que não subimos imediatamente para reconhecer o terreno?

Existe no platô uma árvore que fornece uma madeira seca e betuminosa – uma espécie de araucária, de acordo com o nosso botânico – que os índios sempre usam para fazer tochas. Cada um de nós pegou um feixe dessa lenha e seguimos o nosso caminho por degraus cobertos de ervas daninhas até a caverna especial marcada no desenho. Estava, como eu havia dito, completamente vazia, exceto por grande número de enormes morcegos, que esbarravam em nossas cabeças à medida que avançávamos. Como não queríamos chamar a atenção dos índios para as nossas atividades, continuamos tropeçando no escuro até atravessarmos várias curvas e penetrarmos uma distância considerável na caverna. Então, por fim, acendemos as tochas. Era um belo túnel seco, com paredes acinzentadas, lisas, cobertas de símbolos indígenas, com o teto curvo em arcos sobre as nossas cabeças e areia branca brilhante embaixo dos nossos pés. Apressamo-nos ansiosamente, até que, com um profundo gemido de amargo desapontamento, fomos obrigados a parar. Um paredão de rocha surgiu diante de nós, sem nenhuma fenda pela qual um rato pudesse se esgueirar. Por ali não havia saída para nós.

Ficamos olhando com o coração amargurado para aquele obstáculo inesperado. Não era o resultado de nenhum terremoto, como no caso do túnel ascendente. A parede final era exatamente igual às laterais. Esse local é, e sempre foi, um beco sem saída.

– Não importa, meus amigos – disse o indomável Challenger. – Vocês ainda têm a minha firme promessa de um novo balão.

Summerlee gemeu.

– Será que estamos na caverna errada? – questionei.

– Não adianta, meu caro – lorde John disse, com o dedo no mapa. – Dezessete a partir da direita e a segunda a partir da esquerda. A caverna é essa, com certeza.

Olhei para a marca onde o dedo dele apontava e dei um repentino grito de alegria.

– Acho que já sei! Sigam-me! Sigam-me!

Voltei pelo caminho que tínhamos vindo com a minha tocha na mão.

– Foi aqui... – eu disse, apontando para alguns fósforos no chão. – Aqui, acendemos as tochas.

– Exatamente.

– Bem, aqui a caverna aparece como bifurcada e na escuridão passamos pela bifurcação antes das tochas serem acesas. Pela direita, conforme formos saindo, encontraremos o braço mais longo.

Foi como eu disse. Nós não havíamos avançado trinta metros quando uma grande abertura negra apareceu na parede. Entramos por ali e descobrimos uma passagem muito maior do que a anterior. Ao longo dela, nos apressamos, impacientes, por muitas centenas de metros. Então, de repente, na escuridão negra do arco à nossa frente, vimos o brilho de um clarão vermelho-escuro. Olhamos maravilhados. O véu de uma chama constante parecia atravessar a passagem e barrar o nosso caminho. Nós nos apressamos até lá. Nenhum som, nenhum calor, nenhum movimento vinha dali, mas ainda assim a grande cortina luminosa brilhava diante de nós, banhando toda a caverna, dando a impressão de transformar a areia do chão, em pó de pedras preciosas. Ao avançarmos um pouco mais, descobrimos que seu contorno era circular.

– A lua! Por São Jorge! – gritou lorde John. – Saímos do outro lado, rapazes! Nós saímos do outro lado!

Era verdade! Era a lua cheia que brilhava diretamente pela abertura que se abria nos penhascos. A fenda era pequena, não maior do que uma janela, mas suficientemente grande para todos os nossos propósitos. Quando esticamos o pescoço, pudemos ver que a descida não seria muito difícil e que o nível do chão plano não ficava muito longe de nós. Não era de admirar que, lá de baixo, não tivéssemos observado o lugar, pois as falésias se curvavam no alto e uma subida ao local pareceria tão impossível que desencorajava qualquer inspeção atenta. Ficamos satisfeitos de ver que, com a ajuda da nossa corda, poderíamos encontrar o caminho de volta para baixo sem dificuldades. Então, voltamos alegres para o nosso acampamento, onde faríamos os preparativos para a nossa partida na noite seguinte.

O que fizemos, tivemos que fazer rápida e secretamente, já que, até nessa última hora, os índios poderiam nos deter. As nossas provisões e os apetrechos ficariam para trás, levaríamos apenas as armas e as munições, mas Challenger tinha algumas coisas pesadas que ele desejava ardentemente levar consigo e um pacote particular, do qual não posso revelar o conteúdo, que nos deu mais trabalho do que qualquer outro. O dia passou arrastado, mas quando a escuridão caiu, estávamos prontos para a partida. Com muito trabalho, subimos os degraus e depois, olhando para trás, examinamos longamente pela última vez aquela terra estranha, que, eu temia, logo seria vulgarizada, tornando-se presa de caçadores e exploradores, mas para cada um de nós era uma terra de sonhos, de *glamour* de aventura. Uma terra onde nós ousamos muito, sofremos muito e aprendemos muito. Era a "nossa terra", como sempre a chamaremos carinhosamente. À esquerda, as cavernas vizinhas lançavam sua luminosidade alegre e avermelhada na penumbra. Da encosta abaixo de nós, subiam as vozes dos índios, enquanto eles riam e cantavam. Adiante, estendiam-se os bosques e no centro, brilhando vagamente na escuridão, estava o grande lago, a maternidade de tantos monstros estranhos. Ainda enquanto olhávamos, um grito alto, o chamado de algum animal esquisito, foi ouvido na escuridão. Era a própria voz da Maple White Land se despedindo. Nós nos viramos e mergulhamos na caverna que nos levaria de volta para casa.

Duas horas depois, estávamos no sopé do penhasco, com os pacotes e tudo o que possuíamos. Exceto pela bagagem do Challenger, não tivemos nenhuma dificuldade em avançar. Deixando tudo onde descemos, seguimos imediatamente para o acampamento do Zambo. Chegamos ao amanhecer e, então descobrimos, para nossa surpresa, não só uma fogueira, mas uma dúzia delas espalhadas pela planície. A equipe de resgate havia chegado. Eram uns vinte índios ribeirinhos, com estacas, cordas e tudo o que poderia ter sido útil para atravessarmos o abismo...

Pelo menos amanhã não teremos dificuldades para carregar os nossos pacotes, quando começarmos a voltar para a Amazônia.

Assim, eu termino este relato, com humildade e gratidão. Os nossos olhos viram grandes maravilhas e as nossas almas foram purificadas por tudo o que sofremos. Cada um de nós, à sua maneira, voltou um homem melhor e mais profundo. Pode ser que paremos para reabastecer, quando chegarmos ao Pará. Se fizermos isso, esta carta será enviada pelo correio. Se não, chegará a Londres no mesmo dia que eu. Em qualquer uma dessas hipóteses, meu caro senhor McArdle, espero muito em breve apertar-lhe a mão.

Desfile! Desfile!

Eu gostaria de deixar registrado aqui o nosso agradecimento a todos os amigos que deixamos na Amazônia, pela imensa gentileza e hospitalidade demonstrada por ocasião da nossa jornada de retorno. Muito particularmente, gostaria de externar a minha gratidão ao senhor Peñalosa e a outros funcionários do governo brasileiro pelas providências especiais tomadas para nos ajudar em nossa viagem. E, também, ao senhor Pereira, de Belém do Pará, por ter providenciado trajes completos para nos apresentarmos de maneira decente no mundo civilizado, que encontramos prontos para nós naquela cidade.

O fato de precisarmos reter informações, sem revelá-las aos nossos anfitriões e benfeitores, poderia parecer má retribuição por toda a cortesia que encontramos, mas, sob as circunstâncias, não tivemos alternativa e eu disse a eles que só desperdiçariam tempo e dinheiro se tentassem seguir os nossos rastros. Até os nomes verdadeiros das pessoas e dos locais foram alterados e tenho certeza de que ninguém, a partir do estudo mais minucioso de nossos relatos, poderia chegar a mil quilômetros de nossa terra desconhecida.

O entusiasmo que tomou conta dos lugares da América do Sul que tivemos que atravessar não era apenas local, como imaginávamos. Posso garantir aos nossos amigos da Inglaterra que não tínhamos a menor noção do alvoroço que o mero boato a respeito das nossas experiências causou na Europa. Foi só quando o transatlântico *Ivernia*, onde viajávamos, estava a uns oito mil quilômetros de Southampton e que chegaram as mensagens pelos aparelhos sem fio dos jornais e das agências noticiosas, oferecendo-nos enormes quantias em dinheiro pela mais breve entrevista a respeito dos reais resultados das nossas descobertas, que percebemos como o interesse sobre o assunto, não só do mundo científico, mas do público em geral, havia alcançado uma nova dimensão. Então, ficou acertado entre nós que nenhuma declaração definitiva seria dada à imprensa antes de nos encontrarmos com os membros do Instituto de Zoologia, uma vez que, como delegados, era nossa clara obrigação entregar o primeiro relatório à organização que havia instaurado a nossa comissão de pesquisa científica. Assim, embora tenhamos encontrado Southampton cheia de jornalistas, nós absolutamente nos recusamos a dar qualquer informação, o que teve o efeito natural de concentrar o foco da atenção do público na reunião anunciada para a noite de 7 de novembro. Para essa reunião, o Zoological Hall, que havia sido o palco do início da nossa missão, foi considerado pequeno demais. Somente o Queen's Hall, na Regent Street, seria capaz de acomodar tanta gente. É de conhecimento geral que se os promotores do evento se aventurassem no Albert Hall o espaço ainda seria muito escasso.

A grande reunião foi marcada para a segunda noite depois da nossa chegada, porque, sem dúvida, a primeira noite teria que ser dedicada aos nossos assuntos pessoais, mais urgentes. Dos meus interesses, porém, eu ainda não posso falar. Talvez, com o passar do tempo, eu repense melhor e possa até falar disso com menos emoção. Revelei ao leitor, no início desta narrativa, qual foi a fonte de inspiração das minhas ações, mas com certeza, é mais do que justo contar primeiramente a história da nossa aventura até o final, mostrando inclusive seus resultados. Quem sabe chegue o dia em que eu me convença de que as coisas aconteceram da melhor maneira possível e que não poderiam ter ocorrido de outra forma. Pelo menos eu fui levado a participar de uma aventura maravilhosa e não posso deixar de ser grato à força que me inspirou a fazer isso.

E agora eu me volto para o último, supremo e memorável evento da nossa aventura. Enquanto a minha mente se atormentava sobre a melhor maneira de descrevê-lo, os meus olhos deram de cara com a edição do meu próprio jornal na manhã de 8 de novembro, que trazia a excelente matéria especial de capa, completa, do meu amigo e colega repórter Macdonald. O que eu poderia fazer de melhor senão transcrever em meus relatos a reportagem dele, com as manchetes e tudo mais? Admito que o jornal se comportou magnificamente bem sobre o assunto, exceto quando elogiou sua própria ousadia de enviar um repórter especial à expedição, mas os outros grandes jornais diários não estavam menos repletos de informações. A seguir, então, reproduzo na íntegra a reportagem do meu amigo Mac.

O novo mundo / Grande reunião no Queen's Hall / Cenas de tumulto / Um incidente extraordinário / O que aconteceu? / Baderna noturna na Regent Street / (Especial)

A tão esperada reunião do Instituto de Zoologia, convocada para tomar conhecimento do relatório do Comitê de Investigação enviado no ano passado à América do Sul para testar as afirmações feitas pelo professor Challenger quanto à continuidade da existência de vida pré-histórica naquele continente, foi realizada ontem à noite no enorme Queen's Hall e, certamente se pode dizer que essa data ficará registrada com letras de ouro na história da ciência, pois o evento foi de um caráter tão notável e sensacional que ninguém presente jamais o esquecerá. (Ah, meu caro colega escriba Macdonald, mas que frase de abertura mais horrorosa!)

Teoricamente, os ingressos estavam reservados aos membros do Instituto e seus amigos, mas essa última palavra é um termo muito flexível e bem antes das oito horas, horário fixado para o início da sessão, cada canto do enorme salão estava completamente lotado. O público em geral, que de forma absolutamente injustificada se queixava de ter sido excluído, arrombou as portas às quinze para as oito, após uma demorada confusão em que várias pessoas ficaram feridas, inclusive o inspetor Scoble, da Divisão H, que infelizmente teve uma perna quebrada. Depois desta invasão descontrolada, que não só lotou todos os corredores, mas tomou até o espaço reservado à imprensa, estima-se que quase cinco mil pessoas esperavam a chegada dos viajantes. Quando finalmente apareceram, eles ocuparam seus lugares na frente de um palco onde já estavam presentes todos os cientistas de primeira linha, não só deste país, mas da França e da Alemanha. A Suécia também estava representada, na pessoa do professor Sergius, famoso zoólogo da Universidade de Upsala. A entrada dos quatro heróis da ocasião foi o sinal para uma notável demonstração de boas-vindas, com todo o público aplaudindo em pé por alguns minutos. Um observador atento, porém, poderia ter detectado alguns sinais de discórdia em meio aos aplausos e previsto que a sessão provavelmente se tornaria mais agitada do que harmoniosa, mas, com certeza, ninguém poderia ter adivinhado a extraordinária reviravolta que estava para ocorrer.

Da aparência dos quatro aventureiros pouco se pode dizer, já que suas fotos vêm sendo estampadas há algum tempo em todos os jornais. Eles carregam poucos vestígios das dificuldades que dizem ter sofrido. Talvez a barba do professor Challenger esteja mais desgrenhada, os traços no rosto do professor Summerlee mais ascéticos, a figura de lorde John Roxton um pouco enfraquecida, mas a pele dos três parece estar queimada num tom mais escuro do que quando eles deixaram o nosso país. Porém, todos demonstram gozar de excelente estado de saúde. Quanto ao nosso representante, Ed Malone, o famoso atleta e jogador internacional de rúgbi, ele parece estar em plena forma e, ao dar uma olhada na multidão, um sorriso bem-humorado de satisfação impregnou seu rosto sincero, mas humilde. (Tudo bem, Mac, espere até nos encontrarmos!)

Quando a calma foi restabelecida e o público retomou seus assentos depois da ovação dada aos viajantes, o presidente do conselho, o duque de Durham, se dirigiu à plateia. Ele não iria se interpor – pelo que disse – por mais do que um momento entre essa vasta assembleia e a dádiva que estava diante deles. Não cabia a ele antecipar o que o professor Summerlee, que era o porta-voz do comitê, tinha a dizer a todos, mas era voz corrente que a expedição havia sido coroada de extraordinário êxito... (aplausos) Aparentemente, a época da aventura não estava morta e ainda existia um terreno comum no qual as fantasias mais excêntricas dos romancistas poderiam coincidir com as investigações científicas dos pesquisadores da verdade. Antes de se sentar, ele só acrescentou que se alegrava – e que todos se regozijavam – com o fato daqueles senhores terem retornado sãos e salvos de sua difícil e perigosa missão, pois não se podia negar que qualquer desastre ocorrido numa expedição como essas teria infligido uma perda quase irreparável à causa da ciência zoológica (muitos aplausos, aos quais, pelo que se observou, o professor Challenger se juntou).

O aceno para o professor Summerlee se levantar parece que foi a senha para o estouro de outro extraordinário surto de entusiasmo, que eclodiu várias vezes em intervalos durante seu discurso, o qual não será transcrito na íntegra nestas colunas, já que a reportagem completa, com todas as aventuras da expedição, será publicada como suplemento, de própria autoria do nosso enviado especial. Sendo assim, apenas algumas indicações básicas serão suficientes. Então, depois de descrever a gênese da jornada e de prestar um belo tributo ao seu amigo, o professor Challenger, juntamente com um pedido de desculpas pela incredulidade com a qual suas afirmações, agora plenamente justificadas, haviam sido recebidas, ele traçou o percurso real da viagem, retendo cuidadosamente as informações que pudessem ajudar o público em qualquer tentativa de localizar esse platô notável. Após descrever, em termos gerais, o percurso deles desde o principal rio até o momento em que realmente chegaram ao pé dos penhascos, ele cativou seus ouvintes por conta das dificuldades encontradas pela expedição em suas repetidas tentativas de escalar essas escarpas. Por fim, contou como seus esforços desesperados foram bem-sucedidos, apesar de custarem a vida de dois dedicados servos mestiços (esta surpreendente interpretação do caso resultou dos esforços de Summerlee para evitar o questionamento de qualquer assunto polêmico na reunião).

Tendo conduzido a plateia, pela imaginação, até o cume do platô e depois de abandoná-los lá por causa da queda da ponte, o professor começou a descrever os horrores e as atrações daquela terra incrível. Das aventuras pessoais, ele falou pouco, mas destacou a rica coleta obtida para a ciência com as observações sobre as maravilhosas feras, os pássaros, os insetos e a flora do platô, que é particularmente rico em coleópteros e lepidópteros. Quarenta e seis novas espécies dos primeiros e noventa e quatro dos outros haviam sido identificadas no decorrer de poucas semanas, mas era para os animais maiores, especialmente os gigantescos animais supostamente extintos há muito tempo, que o interesse do público naturalmente se concentrava. A respeito destes últimos, ele pode dar uma boa lista, frisando que tinha poucas dúvidas de que ela seria amplamente estendida quando o local fosse investigado mais detalhadamente. Ele e seus companheiros tinham visto pelo menos uma dúzia de criaturas, a maioria a distância, que não correspondiam a nada atualmente conhecido pela ciência e que elas seriam, com o tempo, devidamente classificadas e examinadas. Citou uma cobra, cuja pele arrancada, de cor púrpura profunda, mediu quinze metros de comprimento e mencionou uma criatura branca, supostamente um mamífero, que produzia uma fosforescência muito nítida na escuridão, além de uma enorme mariposa negra, cuja mordida, segundo os índios, era altamente venenosa. Deixando de lado essas formas de vida inteiramente novas, o platô era riquíssimo em formas pré-históricas conhecidas, remontando em alguns casos ao período jurássico inicial. Entre elas, ele mencionou o gigante e grotesco estegossauro, visto uma vez pelo senhor Malone em um local de beber água à beira do lago e desenhado no caderno de esboços daquele aventureiro americano que penetrou pela primeira vez nesse mundo desconhecido. Ele também descreveu o iguanodonte e o pterodátilo – duas das primeiras maravilhas que eles encontraram. Em seguida, emocionou a plateia com algumas explicações sobre os terríveis dinossauros carnívoros, que em mais de uma ocasião perseguiram membros da equipe e que eram as mais formidáveis criaturas que eles tinham observado. Depois, o professor Summerlee passou para a imensa e feroz ave, o fororacos e para o grande cervo que ainda vagueiam naquele platô. No entanto, foi só quando ele esboçou os mistérios do lago central que todo o interesse e entusiasmo do público foram despertados. As pessoas precisavam se beliscar para terem certeza de que estavam acordadas, ao ouvirem aquele cientista tão sensato e pragmático descrever com voz fria e comedida os monstruosos peixes lagartos de três olhos e as enormes serpentes aquáticas que habitam essa lâmina d'água encantada. Em seguida, ele se referiu aos índios e à extraordinária colônia de macacos antropoides, que poderiam ser considerados como um estágio mais avançado do que o pitecantropo de Java e, portanto, como muito mais próximos do que qualquer outra forma conhecida, dessa criação hipotética da ciência, o elo perdido. Finalmente, ele descreveu, para divertimento do público, a engenhosa, mas altamente perigosa, invenção aeronáutica do professor Challenger, encerrando seu discurso memorável por meio de um relato dos métodos pelos quais a expedição finalmente encontrou o caminho de volta à civilização.

Esperava-se que a sessão terminasse ali e que uma moção de agradecimento e congratulações, apresentada pelo professor Sergius, da Universidade de Upsala, fosse devidamente votada e aprovada, mas logo ficou evidente que o curso dos acontecimentos não estava destinado a fluir com muita naturalidade. No decorrer da noite, de vez em quando, os sintomas de oposição tinham ficado evidentes. Então, o doutor James Illingworth, de Edimburgo, ergueu-se no centro do salão e perguntou se não seria possível uma objeção ser apresentada antes da resolução ser votada.

– Sim, senhor, se houver alguma objeção – respondeu o presidente.

– Há uma objeção, Excelência – o doutor James Illingworth confirmou.

– Então, apresente-a imediatamente – o presidente afirmou.

O professor Summerlee pulou da cadeira.

– Posso declarar, Excelência, que esse homem se tornou meu inimigo pessoal desde uma controvérsia no Quarterly Journal of Science, a respeito da verdadeira natureza de Batybius?

– Receio que não poderemos entrar em assuntos pessoais. Prossiga... – o presidente disse.

O doutor Illingworth acabou sendo ouvido de forma imperfeita em parte de suas observações, por causa da ruidosa oposição dos amigos dos exploradores. Também foram feitas algumas tentativas para obrigá-lo a sentar-se. Sendo um homem de enorme porte físico, possuidor de uma voz muito poderosa, ele controlou o tumulto e conseguiu terminar sua fala. Ficou claro, a partir do momento de sua intervenção, que ele tinha um bom número de adeptos e simpatizantes no salão, embora eles fossem minoria na plateia. A atitude da maior parte do público poderia ser descrita como de neutralidade atenta.

Illingworth começou a fazer suas observações expressando alta consideração pelos trabalhos científicos do professor Challenger e do professor Summerlee. Lamentou muito que qualquer preconceito pessoal pudesse ser observado em suas objeções, que eram inteiramente ditadas pelo seu desejo de estabelecer a verdade científica. Sua posição, na verdade, era substancialmente a mesma que o professor Summerlee havia adotado na última reunião. Nesse último encontro, o professor Challenger havia feito certas afirmações que foram questionadas por seu colega, afirmações essas que agora ele próprio externava, esperando que ninguém duvidasse delas. Isso era razoável? ("Sim!", "Não!" e, em seguida, uma interrupção prolongada, durante a qual ouviu-se na cabine de imprensa que o professor Challenger pedia licença ao presidente para colocar o doutor Illingworth na rua.) Um ano antes, era apenas um homem dizendo determinadas coisas, mas agora eram quatro homens dizendo outras coisas ainda mais surpreendentes. Será que isso poderia ser considerado como prova cabal, quando as questões em pauta eram de caráter totalmente revolucionário e inverossímil? Havia exemplos recentes de viajantes que chegavam de lugares desconhecidos com certas histórias que foram aceitas com muita facilidade. O Instituto de Zoologia de Londres se colocaria nessa posição? Ele admitia que os membros do comitê eram homens de caráter, mas a natureza humana é muito complexa e até os professores podem se induzidos a erro pelo desejo de notoriedade. Como mariposas, todos nós adoramos rodopiar em volta da luz. Os caçadores gostam de se gabar de estarem em posição de suplantar os relatos de seus rivais e os jornalistas não são avessos ao sensacionalismo, mesmo se a imaginação tiver que ajudar nesse processo. Cada membro do comitê tinha seus próprios motivos para tirar o máximo proveito dos resultados obtidos ("Vergonha, vergonha!"). Ele não queria ser ofensivo ("Você é!" e interrupção). A corroboração dessas histórias fantásticas era realmente da descrição mais incipiente. Com o que eles contavam? Algumas fotografias? Seria possível, nesta época de manipulações insidiosas, que fotografias pudessem ser aceitas como provas? O que mais havia? A história de uma fuga e uma descida por cordas que impediu a apresentação de espécimes maiores? Eram ideias engenhosas, mas não convincentes. Houve a insinuação de que lorde John Roxton alegava ter o crânio de um fororacos. A única coisa que ele podia dizer era que gostaria de ver esse crânio.

– Esse sujeito está me chamando de mentiroso? – lorde John Roxton questionou (tumulto).

– Ordem no recinto! Ordem no recinto! Doutor Illingworth, devo orientá-lo a levar as suas observações a uma conclusão e a apresentar a sua objeção – pediu o presidente.

– Excelência, tenho muito mais a dizer, mas acato a sua decisão. Proponho, então, que, embora o professor Summerlee seja saudado pelo seu interessante discurso, a questão como um todo deva ser considerada como "não comprovada". E que seja remetida a uma Comissão de Investigação maior e, se possível, mais confiável.

É difícil descrever a confusão causada por essa objeção. Grande *parte da plateia expressou sua indignação diante da ofensa aos viajantes por meio de ruidosa gritaria e de frases de protesto como "Não aceite!", "Retire-a!", "Fora com ele!". Por outro lado, os descontentes – e não se pode negar que eram bastante numerosos – aplaudiram a objeção, aos gritos de "Ordem!", "Senta!" e "Jogo limpo!". Uma briga estourou nos bancos do fundo e socos foram trocados à vontade entre os estudantes de medicina que lotavam aquela parte do salão. Foi apenas a influência moderadora da presença de mulheres em grande número que impediu um tumulto generalizado. De repente, houve uma pausa, um pedido de calma e, por fim, silêncio completo. O professor Challenger havia se levantado. Sua aparência e seus modos eram peculiarmente impactantes e, quando ele levantou a mão para pedir ordem, toda a plateia se acomodou para escutá-lo cheia de expectativa.*

– Talvez muitos aqui se recordem – disse o professor Challenger – que cenas estúpidas como essas, marcadas pela falta de educação, ocorreram na última reunião em que eu pude me dirigir a vocês. Naquela ocasião, o professor Summerlee foi o principal opositor e, embora agora ele pareça redimido e contrito, a situação não foi totalmente esquecida. Nesta noite, ouvi comentários semelhantes, mas ainda mais ofensivos, da pessoa que acabou de se sentar e, embora seja um esforço consciente de anulação pessoal descer ao nível mental dessa pessoa, eu me esforçarei para fazê-lo, a fim de dissipar qualquer dúvida razoável que possa existir na mente de qualquer um aqui presente (risos e interrupções). É desnecessário lembrar a essa plateia que, embora o professor Summerlee, como chefe do Comitê de Investigação, tenha sido preparado para falar esta noite, ainda sou eu realmente o principal promotor do assunto e é a mim principalmente que qualquer resultado bem--sucedido deve ser atribuído. Conduzi com segurança esses três

senhores ao local mencionado e, como vocês ouviram, eles se convenceram da exatidão do meu relato anterior. Gostaríamos, após o nosso retorno, de não encontrar ninguém que fosse tão obtuso a ponto de contestar as nossas conclusões conjuntas, mas prevenido pela minha experiência anterior, não voltei sem provas que pudessem convencer pessoas razoáveis. Como o professor Summerlee explicou, as nossas máquinas fotográficas foram manipuladas pelos homens macacos quando saquearam nosso acampamento e a maioria dos nossos negativos estragou (vaias, risos e gritos de "Conta outra!" vieram do fundo). Eu mencionei os homens macacos e não posso deixar de dizer que alguns sons que agora chegam aos meus ouvidos trazem de volta da forma mais intensa a lembrança das minhas experiências com essas criaturas interessantes (gargalhadas). Apesar da destruição de tantos negativos de valor inestimável, ainda restou em nossa coleção um certo número de fotografias corroborativas que mostram as condições de vida no platô. Somos acusados de fraudar essas fotos? (Uma voz gritou "Sim" e, em seguida, houve uma longa interrupção, que terminou com vários homens sendo retirados do salão.) Os negativos estão à disposição dos especialistas, mas que outras provas poderíamos ter? Devido às condições da fuga, naturalmente seria impossível trazer muita coisa na bagagem, mas preservamos as coleções de borboletas e besouros do professor Summerlee, contendo muitas espécies novas. Isso não serve de prova? (Várias vozes gritaram "Não".) Quem disse não?

– O nosso ponto de vista é que essa coleção poderia ser reunida em outro lugar que não um platô pré-histórico – o doutor Illingworth afirmou (levantando-se sob aplausos).

– Sem dúvida, senhor, temos que nos curvar à sua autoridade científica, embora eu deva admitir que o seu nome não é conhecido para mim. Então, passando por cima tanto das *fotografias como da coleção entomológica, chego às variadas e precisas informações que trouxemos conosco sobre pontos que jamais foram elucidados até agora. Por exemplo, a respeito dos hábitos domésticos do pterodátilo (uma voz gritou "Tolice" e em seguida houve nova confusão). Quero dizer que podemos lançar uma torrente de luz sobre hábitos domésticos do pterodátilo. Posso mostrar a vocês, do meu álbum de desenhos, um esboço dessa criatura, baseado no que vimos ao natural, que poderia convencê-los...*

– Nenhum desenho poderia nos convencer de nada – o doutor Illingworth afirmou, enfaticamente.

– Você precisaria ver o original? – o professor Challenger perguntou.

– Sem dúvidas! – o doutor Illingworth respondeu.

– Então, aceitaria essa prova? – o professor Challenger quis saber.

– Sem a menor sombra de dúvida... – o doutor Illingworth retrucou (rindo debochadamente).

Foi nesse momento que a maior sensação da noite surgiu e de forma tão dramática que jamais teria paralelo na história das reuniões científicas. O professor Challenger levantou a mão no ar como um sinal e, imediatamente, observamos o senhor Ed Malone, nosso colega jornalista, subir e se dirigir à parte dos fundos do palco. No instante seguinte, ele reapareceu em companhia de um negro gigante. Ambos traziam um grande caixote quadrado, que era evidentemente muito pesado e foi lentamente levado para frente, até ser colocado diante da cadeira do professor. Na plateia, passou a reinar o mais absoluto silêncio, com todos compenetrados no espetáculo que se desenrolava. O professor Challenger tirou a parte superior *da caixa, que formava uma tampa deslizante. Olhando para o conteúdo ainda oculto, ele estalou os dedos várias vezes e da cabina da imprensa pudemos ouvi-lo dizer com carinho: "Vem, belezura, vem!".*

No momento seguinte, em meio a ruídos estridentes de arranhões, uma criatura pavorosa e repugnante saiu de dentro e se empoleirou na lateral do caixote. Nem mesmo a queda inesperada do duque de Durham no poço da orquestra, que ocorreu nesse momento, conseguiu desviar a atenção da vasta plateia petrificada. A face da criatura era semelhante à gárgula mais monstruosa que a imaginação de um construtor medieval ensandecido poderia conceber. Ela era perversa, horrenda, com dois pequenos olhos vermelhos brilhantes como brasas ardentes de carvão. Sua boca entreaberta, longa e feroz, estava cheia de uma dupla fileira de dentes, parecidos com os de um tubarão. A fera tinha ombros curvos, rodeados e cobertos por alguma coisa que parecia ser um xale cinza desbotado. Era o diabo da nossa infância em pessoa. Houve um tumulto na plateia: alguém gritou, duas senhoras na fila da frente desmaiaram em suas cadeiras e houve um movimento geral no palco, como se todos fossem seguir o presidente até o poço da orquestra. Por um momento, houve perigo de pânico generalizado. O professor Challenger ergueu as mãos para conter a comoção, mas o gesto brusco assustou a criatura ao lado dele. O estranho xale do animal de repente se desdobrou, espalhou-se e tremulou como um par de asas de couro. O cientista tentou agarrar as pernas do bicho, mas tarde demais para segurá-lo: a criatura saltou do poleiro e passou a circular lentamente pelo Queen's Hall, batendo as asas de couro seco de três metros de largura, espalhando um cheiro podre e infecto pela sala. Os gritos das pessoas nas galerias, alarmadas com a aproximação daqueles olhos brilhantes e do bico assassino, levaram a fera a um frenesi. Batendo as asas cada vez mais rapidamente, ela voou, esbarrando nas paredes e nos lustres, cega de pavor. "A janela! Pelo amor de Deus, fechem essa janela!", bradou o professor de cima do palco, desorientado e apertando as mãos, apreensivo de agonia. Infelizmente, seu aviso foi feito tarde demais! Em um segundo, a criatura, batendo e esbarrando na parede como uma enorme mariposa dentro de uma campana de gás, aproximou-se da abertura e, espremendo seu corpo medonho, atravessou por ela e desapareceu. O professor Challenger reclinou-se na cadeira com o rosto enterrado nas mãos, enquanto o público dava um longo e profundo suspiro de alívio ao perceber que o incidente havia terminado.

Então... Ora! Como descrever o que ocorreu? A total exuberância da maioria e a reação unânime da minoria se uniram numa grande onda de entusiasmo, que rolou do fundo do salão, ganhou volume ao avançar, varreu a orquestra, submergiu o palco e engoliu os quatro heróis em sua crista. (Bela frase, parabéns para você, Mac!) Se o público havia sido injusto, agora certamente se retratava. Todos ficaram em pé, todos se moviam, gritavam, gesticulavam. Uma multidão que aplaudia se juntou ao redor dos quatro viajantes. "Estamos com vocês! Estamos com vocês!", gritavam centenas de vozes. No mesmo instante, os quatro aventureiros foram carregados em triunfo. Em vão eles tentavam se soltar, sendo mantidos em suas elevadas posições de honra. Na verdade, seria difícil baixá-los, tão densa era a multidão em torno deles. "Para a Regent Street! Para a Regent Street!", ecoavam as vozes. Houve um redemoinho entre as pessoas aglomeradas e uma lenta correnteza de gente se deslocando e carregando os quatro heróis nos ombros, foi para a porta. Na rua a cena era extraordinária. Uma multidão com não menos de cem mil pessoas se estendia do outro lado do Langham Hotel até Oxford Circus. Uma estrondosa aclamação saudou os quatro aventureiros quando eles apareceram, muito acima das cabeças das pessoas, sob as lâmpadas elétricas fulgurantes do lado de fora do salão. "Desfile! Desfile!", era o grito unânime. Com o cortejo cerrado bloqueando as ruas de um lado ao outro, a multidão foi em frente, seguindo a rota de Regent Street, Pall Mall, St. James Street e Piccadilly. Todo o tráfego central de Londres ficou retido e vários confrontos foram relatados entre manifestantes de um lado e policiais e taxistas do outro. Por fim, foi só depois da meia-noite que os quatro viajantes foram liberados na entrada dos aposentos de lorde John Roxton, no Albany, e que a multidão exuberante, depois de cantar em coro "Eles são bons companheiros", encerrou a homenagem entoando "God Save the King". Assim terminou uma das noites mais memoráveis que Londres já viu.

Até aqui, meu caro amigo Macdonald, esse pode ser considerado um relato razoavelmente preciso, embora sensacionalista, do que aconteceu. Quanto ao incidente principal, quase não preciso dizer que foi uma surpresa desconcertante para o público, mas nem tanto para nós. O leitor se lembrará da ocasião em que encontrei lorde John Roxton, com sua gaiola protetora, quando ele tinha ido capturar um "frango do diabo", como ele chamava o filhote do pterodátilo, para o professor Challenger. Também me referi ao trabalho que a bagagem do professor nos deu quando saímos do platô. E, se tivesse narrado a nossa viagem, certamente haveria comentado bastante a respeito da preocupação de fornecermos peixe podre para saciar o apetite do nosso repulsivo companheiro. Só não falei muito sobre isso antes, naturalmente, pelo desejo prudente do professor de que nenhum rumor possível a respeito do argumento incontestável que carregávamos pudesse vazar até o momento em que seus argumentos fossem refutados.

Uma palavra quanto ao destino do pterodátilo de Londres: nada de certo pode ser dito a esse respeito. Segundo o testemunho de duas mulheres assustadas, ele se empoleirou no telhado do Queen's Hall, lá permanecendo como uma estátua diabólica por algumas horas. No dia seguinte, os jornais noturnos noticiaram que o soldado Miles, da Coldstream Guards, a serviço da Marlborough House, abandonou seu posto sem autorização e, portanto, foi oficialmente processado perante uma corte marcial. O soldado Miles contou que largou seu rifle e fugiu correndo pelo mercado porque, ao olhar para cima, viu subitamente o diabo entre ele e a lua. Esse relato, que todavia não foi aceito pelo tribunal, poderia ter ligação direta com o assunto em questão. A única outra evidência que posso acrescentar foi retirada do diário de bordo do navio *S. S. Friesland*, um transatlântico holandês-americano, que afirma que às nove horas da manhã seguinte, quando estava a dezesseis quilômetros do ponto de partida, a embarcação foi ultrapassada a estibordo por um animal parecido com uma cabra voadora ou um morcego monstruoso, que seguia em ritmo prodigioso para sudoeste. Se o instinto de orientação da criatura a estivesse levando em linha reta de volta para casa, não restam dúvidas de que, em algum lugar nas vastidões do Atlântico, o último pterodátilo europeu encontrou seu fim.

E, a Gladys? Oh, a minha Gladys! A Gladys do lago misterioso, que seria renomeado como Lago Central, porque ela jamais alcançará a imortalidade através de mim... Por acaso não percebi que em sua natureza havia alguma fibra inflexível? Será que eu, mesmo na época em que tive orgulho de obedecer a ela, não senti que certamente só um amor frágil poderia levar o amado à morte ou fazê-lo correr perigo de vida? Será que, em meus pensamentos mais verdadeiros, sempre recorrentes e sempre distorcidos, eu não vi nada além da beleza de seu rosto e, ao espiar na alma dela, não enxerguei as sombras gêmeas do egoísmo e da inconstância obscurecendo sua parte mais íntima? Será que ela amava o heroísmo e o espetáculo pela nobreza própria do amor, ou pela glória sem esforço ou sacrifício que poderia refletir sobre si mesma? Ou será que esses pensamentos não passam de vã filosofia que surge depois dos acontecimentos? Foi o maior choque da minha vida. Por um momento, essa comoção me transformou num cínico, mas quando escrevo já passou uma semana, tivemos a nossa importante entrevista com lorde John Roxton e, bem, talvez as coisas pudessem ter sido piores.

Vou contar tudo em poucas palavras. Nenhuma carta ou telegrama esperava por mim em Southampton, de modo que cheguei à pequena vila de Streatham por volta das dez da noite, numa tensão febril. Ela estaria morta ou viva? Aonde teriam ido parar todos os meus sonhos noturnos dos braços abertos, o rosto sorridente, as palavras de elogio ao homem que arriscara a vida para alegrar um capricho dela? Eu já havia despencado dos altos picos e estava fincando os pés descalços no chão. No entanto, algumas boas razões bem fundadas ainda podiam me levar às nuvens mais uma vez. Corri pelo caminho do jardim, soquei a porta. Ouvi a voz da Gladys lá dentro, passei pela empregada e invadi a sala de estar. Ela estava sentada num sofá baixo, sob a luz do abajur junto ao piano. Em três passos alcancei o outro lado da sala e coloquei as mãos dela nas minhas.

– Gladys! – exclamei. – Gladys!

Ela levantou os olhos demonstrando surpresa em seu rosto. De alguma forma sutil, ela estava mudada. A expressão de seus olhos, o olhar sério para cima, o conjunto dos lábios, tudo isso era novidade para mim. Ela recolheu suas mãos das minhas.

– O que significa isso? – ela estranhou.

– Gladys! – exclamei. – Qual é o problema? Você é a minha Gladys! Ou você não é mais a pequena Gladys Hungerton?

– Não! – ela respondeu. – Eu sou Gladys Potts. Vou apresentá-lo ao meu marido.

Mas... Que vida mais absurda! Quando percebi, eu estava me curvando mecanicamente para cumprimentar um sujeito ruivo, atolado na poltrona funda que antigamente era reservada para o meu próprio uso. Ambos acenamos com a cabeça e trocamos sorrisos forçados na frente um do outro.

– Papai nos deixou ficar aqui. Estamos terminando a nossa casa – disse Gladys.

– Ah! É mesmo? – eu disse.

– Então, você não recebeu a minha carta no Pará?
– Não, não recebi nenhuma carta.
– Mas que pena! Ela teria esclarecido tudo.
– Está tudo muito claro – retruquei.
– Contei ao William tudo a seu respeito – ela falou. – Não temos segredos. Sinto muito por isso. De qualquer maneira, os seus sentimentos não eram tão profundos, caso contrário você não teria partido para o outro lado do mundo e me deixado aqui sozinha. Você não está magoado, está?
– Não, não. Não mesmo, nem um pouco. Acho que eu já vou.
– Não quer tomar um suco? – o sujeito ofereceu. – É sempre assim, não é mesmo? – ele acrescentou de maneira confidencial. – E deve ser, a menos que você seja polígamo, só que ao contrário, se me entende...

Ele riu como um idiota, enquanto eu seguia para a porta. Eu já estava de saída, quando um súbito e fantástico impulso tomou conta de mim. Voltei para o meu rival bem-sucedido, que olhou nervosamente para a campainha elétrica.

– Você poderia me responder a uma pergunta? – indaguei.
– Bem, na medida do possível... – ele replicou.
– Como conseguiu isso? Por acaso procurou tesouros escondidos, descobriu um dos polos, caçou um pirata, sobrevoou o Canal da Mancha, ou fez o quê? Onde está o charme do romance? Como conseguiu realizar essa proeza?

Ele me encarou com uma expressão de desespero em sua cara sem graça, fútil e banal.

– Você não acha tudo isso um pouco pessoal demais? – ele balbuciou.
– Talvez. Só mais uma pergunta... – insisti. – Quem é você? Qual é a sua profissão?
– Eu sou escrevente de um advogado – ele disse. – O segundo homem do escritório Johnson e Merivale, que fica no número 41, da Chancery Lane.
– Boa noite! – agradeci.

Desapareci no meio da escuridão, como fazem todos os heróis desconsolados e de coração partido. Eu sentia pesar, raiva e deboche borbulharem dentro de mim como numa panela fervendo.

Mais uma pequena cena, antes de terminar. Ontem à noite, todos jantamos na residência de lorde John Roxton. Depois, nós nos sentamos juntos, para fumar em boa companhia e para conversar sobre as nossas aventuras. Era estranho rever, naquele ambiente requintado, aqueles velhos rostos e aquelas pessoas tão conhecidas. Lá estava o Challenger, com seu sorriso condescendente, as pálpebras caídas, o olhar intolerante, a barba agressiva, o peito estufado. Ele inchava e bufava enquanto discutia com o Summerlee. Este também, lá estava, com o seu pequeno cachimbo entre o bigode fino e o cavanhaque de bode, grisalho, o rosto seco se projetando quando levantava a cabeça ao debater e questionar veementemente as afirmações do Challenger. E, por fim, havia o nosso anfitrião, com seu rosto aquilino, calejado e seus olhos azuis frios, impassíveis, sempre com um vislumbre de malícia e bom-humor em suas profundezas. Essa é a última imagem deles que eu carrego comigo.

Foi depois do jantar, em seu próprio santuário – a sala do brilho rosado e dos incontáveis troféus – que lorde John Roxton declarou que tinha algo para nos dizer. Tirou de um armário uma velha caixa de charutos e a colocou diante dele em cima da mesa.

– Tem uma coisa – ele falou – que eu talvez devesse ter dito antes, mas eu precisava saber um pouco mais claramente do que se tratava. Não adianta despertar expectativas para destruí-las logo em seguida. Porém, são fatos e não fantasias o que tenho para nós agora. Vocês devem se lembrar daquele dia em que encontramos o ninho de pterodátilos no pântano, não é? Bem, alguma coisa que jazia na terra chamou a minha atenção. Talvez vocês não tenham percebido, então eu vou lhes contar agora. Lembram-se de que havia uma chaminé vulcânica cheia de argila azul?...

Os professores confirmaram com acenos de cabeça.

– Pois bem. De todos os lugares que conheci no mundo inteiro, só em outro encontrei uma chaminé vulcânica com argila azul: a grande mina de diamantes De Beers, em Kimberley... Como vocês podem imaginar, a lembrança dos diamantes voltou à minha mente. Então, montei aquela engenhoca parecida com uma armadura para manter as criaturas fedorentas afastadas. Passei um dia tranquilo por lá, com uma pá de jardineiro. E, foi isto aqui o que eu consegui...

Ele abriu a caixa de charutos e, inclinando-a, despejou sobre a mesa cerca de vinte ou trinta pedras ásperas, que variavam do tamanho de um feijão ao de uma castanha.

– Talvez vocês achem que eu deveria ter contado antes. Bem, eu deveria, só que eu sei que existem muitas armadilhas para os incautos e que muitas pedras de grande tamanho podem ter pouco valor, pois tudo depende da cor e da consistência depois da limpeza. Portanto, eu as trouxe para cá e, no primeiro dia de folga, fui até a casa do joalheiro Spink e pedi a ele que lapidasse de maneira grosseira uma delas e a avaliasse.

Então, ele tirou do bolso uma caixa de pílulas, de onde pegou um lindo diamante brilhante, uma das mais belas pedras que já vi em toda a minha vida.

– Esse é o resultado – ele disse. – Ele estimou o preço do lote em no mínimo duzentas mil libras. É claro que vamos dividir entre nós. Não vou aceitar nada em sentido contrário. Pois bem, Challenger, o que fará com as suas cinquenta mil?

– Se você realmente insistir em sua oferta generosa – disse o professor –, eu quero fundar um museu particular, algo que há muito tempo é um dos meus sonhos.

– E você, Summerlee?

– Eu me aposentaria do ensino e, assim, teria tempo para fazer a classificação definitiva dos fósseis de calcário.

– Eu usarei a minha parte – lorde John Roxton disse – para organizar uma nova e bem equipada expedição e, assim, dar uma nova olhada no nosso velho e querido platô. Quanto a você, meu caro, é claro, vai gastar a parte que lhe cabe no casamento?

– Ainda não! – respondi, com um sorriso entristecido. – Eu acho, se você aceitar, que prefiro me aventurar novamente em sua companhia.

Lorde Roxton não disse nada, mas, por cima da mesa, estendeu sua mão queimada de sol para mim.